CO-ASI-780

EMILIO ONTIVEROS

LA ECONOMÍA EN LA RED

NUEVA ECONOMÍA, NUEVAS FINANZAS

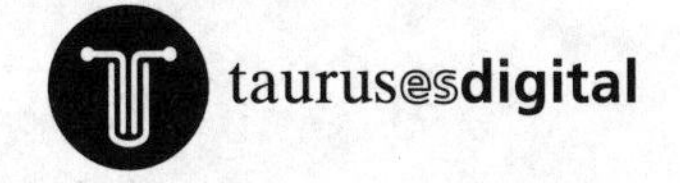

Grupo Santillana de Ediciones, S. A., 2001
Torrelaguna, 60. 28043 Madrid
Teléfono 91 744 90 60
Telefax 91 744 92 24

• Aguilar, Altea, Taurus, Alfaguara S. A.
Beazley 3860. 1437 Buenos Aires
• Aguilar, Altea, Taurus, Alfaguara S. A. de C. V.
Avda. Universidad, 767, Col. del Valle,
México, D.F. C. P. 03100
• Distribuidora y Editora Aguilar, Altea, Taurus, Alfaguara, S. A.
Calle 80, n.º 10-23
Teléfono: 635 12 00
Santafé de Bogotá, Colombia

Diseño de cubierta: Pep Carrió y Sonia Sánchez

ISBN: 84-306-0438-3
Dep. Legal: M-34.338-2001
Printed in Spain - Impreso en España

ÍNDICE

INTRODUCCIÓN

Una sensación de discontinuidad en el funcionamiento de las economías, de modificación de aspectos centrales de los sistemas económicos, ha acompañado la transición al nuevo siglo. En la convergencia de la creciente integración económica y financiera internacional y la aceleración del progreso técnico, sintetizada en la amplia movilización de las nuevas tecnologías de la información y las telecomunicaciones, se fundamenta esa intensificación de la metamorfosis del sistema económico a la búsqueda de una mayor eficiencia.

Es en el último lustro del siglo XX cuando tiene lugar el encuentro de ambas dinámicas; la creciente interdependencia de economías y mercados, derivada del proceso de globalización, refuerza su arraigo mediante esa ampliación de la capacidad para utilizar y diseminar la información que posibilitan las nuevas tecnologías, en particular la explosión de Internet. La conexión global, la unificación del espacio económico, empieza a ser una realidad; la geografía deja de ser el principal determinante de una diferenciación económica a la que, desde finales de los ochenta, se había impuesto una creciente homogeneidad institucional, en la organización de los sistemas y en la orientación de las políticas económicas, en torno al mercado como principal mecanismo de asignación de recursos. La economía mundial se nos presenta de forma cada día más explícita como una amplia retícula por la que discurren no sólo intercambios mercantiles, sino también información, técnicas y usos empresariales: conocimiento, en definitiva.

En la base de ese perfeccionamiento del ya largo proceso de integración económica internacional está esa emergencia de aplicaciones a la actividad económica de una dinámica de innovación, igual de remota, en torno a las tecnologías de la información y las telecomunicaciones. Internet es el exponente más emblemático de esta nueva etapa, el catalizador de esa discontinuidad en las formas de organización y decisión de los agentes económicos cuya trascendencia apenas se ha puesto de manifiesto. Con independencia de otros ámbitos en los que su impacto es igualmente importante, es en la actividad empresarial y en la interlocución de las empresas con sus mercados, donde la extensión de la digitalización de la información y de la conectividad determinará las principales transformaciones.

Ha sido en Estados Unidos donde en mayor medida ha podido apreciarse el potencial transformador de la difusión de esas tecnologías, en la medida en que ha sido en su economía donde no sólo ha sido más intensa la inversión en las mismas sino, lo que es más relevante, donde antes y con mayor amplitud se han extendido sus aplicaciones empresariales. A su asimilación, y la de los cambios institucionales asociados, se acredita el excepcional comportamiento de su economía en los últimos diez años del siglo pasado, especialmente los referidos al crecimiento de la productividad del trabajo, y la incuestionable hegemonía con que se presenta su modelo de organización en el inicio del nuevo.

Singularidad en las estadísticas, pero no menos evidente en las estrategias y comportamientos empresariales o en la capacidad de adaptación de las instituciones, como para merecer esa denominación de «nueva economía» con que se etiquetaba el resultado de esas transformaciones. Sin menoscabo del legítimo y sano escepticismo que la pretenciosidad y ambigüedad de una calificación tal pueda generar, su irrupción en el lenguaje ha sido amplia. Bancos centrales, agencias multilaterales y servicios estadísticos de todo tipo la asumen como expresiva de las transformaciones experimentadas en el sistema económico, hoy en marcado contraste con el vigente durante las últimas décadas. Denominaciones adicionales o en algunos casos alternativas como las de «economía del conocimiento», «e-economía» o «economía digital», entre otras, pueden resultar insuficientes para abrigar un proceso de transformación todavía inconcluso, y en el que inciden innovaciones adicionales a las hoy más visibles en las tecnologías de la información y de las telecomunicaciones.

Hubo antes otras «nuevas economías». Esa estrecha relación entre el progreso técnico y el comportamiento de los agentes económicos, que sintetiza los rasgos esenciales de la nueva economía, no es precisamente nueva. En otras etapas históricas, de forma particular en los dos últimos siglos, se asistió también a periodos de intensificación de la innovación (desde la extensión de las aplicaciones de la electricidad a las distintas formas de transporte, sin olvidar las más próximas a las actuales en las comunicaciones por radio y televisión), que igualmente justificarían una caracterización similar. En realidad, ha sido el siglo XX el que ha presenciado el mayor desarrollo científico y técnico y, desde luego, en el que ha sido más rápida su incorporación a la actividad económica. Su conclusión hace honor a esa trayectoria y deja como legado esa apenas iniciada transición hacia nuevas formas de organización y relación económicas.

No son los principios ni las leyes económicas básicas las que han cambiado; no son nuevos paradigmas los que emergen de las posibilidades que ahora ofrecen las tecnologías de la información, sino nuevas formas de hacer, en general, las mismas cosas, pero consiguiendo una mayor eficiencia. Modificaciones en los subsistemas de producción, distribución y comercialización de las empresas; en las formas de organización y de trabajo que, además de influir en la estructura y funcionamiento de las economías, también lo harán en nuestras formas de vida.

La dinámica con que abordamos el nuevo siglo tampoco es simplemente la suma de la «vieja economía» más Internet. Incorpora transformaciones empresariales de gran significación que acentúan esa sensación de transición, de incertidumbre con que se contempla su alcance, al tiempo que se abandona esa dosificación de cautelas en la utilización de los parangones con los que pueda contrastarse. La evocación de la segunda revolución industrial de mediados del siglo XIX ya no es exclusiva de quienes buscan atraer la atención sobre el potencial de las tecnologías hoy dominantes; historiadores de la economía y otros académicos admiten que estamos inmersos en una discontinuidad similar a la que supuso aquella afloración de innovaciones o a las transformaciones estructurales originadas por la Gran Depresión y la II Guerra Mundial. Nuevas realidades y nuevas demandas, que trascienden a nuestra condición de agentes económicos. Nuevos riesgos y nuevas oportunidades. Nuevas formas en las que las personas y las organizaciones viven e interactúan, asignan su tiempo y el resto de los recursos. Transformaciones todas ellas que reclaman no tanto nuevos principios teóricos como perspectivas analíticas adicionales y respuestas políticas más versátiles. Cambios generadores de esperanzas, pero también de temores y ansiedad, en tanto que esa capacidad de adaptación, de resolución de conflictos, es y seguirá siendo desigual en su alcance y en su ritmo.

Denominadores en gran medida comunes con la transición al siglo XX, iniciada también con esa «paradójica combinación de esperanza y miedo» que destacan Howard y Louis [1]. La primera se derivaba de la percepción de que se entraba en una «nueva edad dorada» en la que los avances científicos y técnicos (la electricidad, el motor de combustión interna, la aeronáutica o los avances médicos) tendrían consecuencias favorables sobre las condiciones de vida y la prosperidad económica. El miedo era menos concreto, como lo es hoy, y surgía del impacto de esas transformaciones sobre las estructuras sociales y los valores entonces dominantes, así como de la intensificación de la competencia que se presumía: el temor, en definitiva, a que la aceleración de los cambios pudiera destruir las certidumbres. La diferencia entre ambos momentos es que hoy las esperanzas y temores son globales, no se limitan como hace cien años a las sociedades industriales de Occidente.

A pesar del desastre bursátil que sufrieron a partir de marzo de 2000 las empresas más directamente protagonistas de esa revolución tecnológica y de la manifiesta desaceleración con que el crecimiento de la economía y de la productividad norteamericana abordaban el inicio del nuevo siglo, la era de Internet no ha hecho sino empezar. De la severa selección que el mercado está haciendo, de la no menos importante revisión de los principios de valoración de las compañías más directamente implicadas en el asentamiento de esta nueva era, no puede deducirse el agotamiento de la dinámica de cambio abierta con la extensión funcional cada día más amplia de la red. La asimilación de ese espectacular incremento en la inversión durante los noventa está siendo paralela a la gradual transición a la red de procesos y decisiones en las empresas más genuinamente representativas de la «economía tradicional».

Esa difusión entre empresas de distintos sectores es paralela a la que cabe observar entre países. A diferencia de otras fases de discontinuidad tecnológica, la actual no sólo está posibilitando una más rápida generación de aplicaciones empresariales, sino una mayor permeabilidad geográfica (recuérdese, por ejemplo, que el desarrollo de la electricidad en el periodo 1880-1890 tardó varias décadas en extenderse a las zonas rurales), derivada de menores costes de asimilación, lo que en modo alguno permite garantizar la reducción de esa brecha, hoy suficientemente explícita, en la inserción digital de todos los países. La obtención de ventajas económicas equivalentes a las observadas en Estados Unidos exige algo más que la mera trasposición de dotaciones tecnológicas similares.

El análisis de esas condiciones de arraigo de la nueva economía es uno de los aspectos abordados en este libro, tras el análisis correspondiente a la naturaleza de los cambios introducidos por la explosión de la conectividad, por su extensión a un número creciente de actividades y sectores empresariales, y los efectos producidos en la economía estadounidense. Se trata de un recorrido guiado sobre todo por la pretensión de identificar lo que de realmente nuevo existe en esa digitalización creciente de las relaciones económicas y discutir sus implicaciones, las ya observadas y las que razonablemente pueden anticiparse. No es un libro académico en su acepción más estricta, la metodológica, aunque trata de cumplir una de las tareas que siempre he considerado propia de la docencia universitaria: la de despertar curiosidad, aun cuando el conocimiento que se trata de transmitir esté sujeto a una cierta provisionalidad. Al escribirlo no he tratado tanto de exhibir lo que conozco como de compartir lo que he aprendido, con más esfuerzo en garantizar que mi grado de comprensión no difiera del que pueda alcanzar el lector.

Hacerse entender es la base de esa confianza que, en última instancia, es la principal compensación a la docencia. Si ese propósito se ha alcanzado ha sido gracias, en primer lugar, a bastantes horas de trabajo, adicionales a las que absorbe mi ocupación en la empresa Analistas Financieros Internacionales y, en menor medida, en la Universidad Autónoma de Madrid. Esto significa que, al igual que muchos otros autores, el de este libro ha debido contar, una vez más, con la complicidad y el apoyo familiar en la difícil conciliación de preferencias sobre la asignación del tiempo de ocio conjunto. Significa también que colegas de esas y otras instituciones han sido suficientemente generosos para dedicar parte de su igualmente racionado tiempo libre a la lectura y crítica de borradores de este libro. Daniel Manzano, Rafael Myro, Sebastián Royo, Ignacio Santillana, Juan Soto y Francisco J. Valero aportaron numerosos comentarios y sugerencias a distintos capítulos. Javier Pradera, director junto a Fernando Savater de la revista *Claves de Razón Práctica*, fue quien, urgiéndome a que preparara un largo artículo para su revista, me obligó a ordenar materiales e ideas sobre las que fue asentándose el libro[2].

Fueron Joaquín Estefanía y María Cifuentes, la directora de Taurus, quienes en mayor medida me animaron a que me dispusiera a trabajar sobre aquella base. Ana Bustelo y el equipo de correctores de Taurus cumplieron a la perfección las tareas de persecución en el cumplimiento de los plazos y la realización de observaciones formales sobre los originales. Las deudas también son importantes con Lucía Nogueroles, única conocedora de mi particular desorden en el manejo de los múltiples ficheros por los que han discurrido estas páginas antes de encuadernarse. Durante el periodo de elaboración del libro han sido diversas las ocasiones que he tenido de verificar si sus contenidos eran merecedores de la atención de lectores potenciales en diversos seminarios y conferencias, desde luego en mis clases de la Universidad Autónoma de Madrid y de la Escuela de Finanzas Aplicadas, o en artículos en diversos medios de comunicación y en publicaciones especializadas. La principal deuda, en todo caso, es con los que antes que yo escribieron acerca de estos temas; he tratado de reflejar la mayoría de ellos en la bibliografía adjunta.

Capítulo 1
La productividad norteamericana

En febrero del año 2000 la economía estadounidense batía el récord de longevidad de las fases expansivas[1]. En el trimestre previo al cumplimiento de esos 107 meses de crecimiento ininterrumpido, el valor de su producción de bienes y servicios (el Producto Interior Bruto, PIB) registraba un ritmo de expansión poco expresivo de agotamiento, superior al 7% en términos interanuales. La tasa de desempleo caía al 4% de la población activa, la más baja desde 1970, compatible con el más moderado crecimiento de los precios de los bienes y servicios menos volátiles de los últimos treinta y cuatro años [2]. En el periodo 1996-1999, el PIB creció a una tasa anual del 4,2%, mientras que el promedio de la tasa de inflación, medida por el Índice de Precios al Consumo (IPC) fue tan sólo del 2,3%. La calidad de ese cuadro se completaba con un marcado saneamiento de las finanzas públicas que, lejos de mermar las posibilidades de financiación del sector privado de la economía, aportaba un jugoso excedente, cuya asignación fue el principal objeto de controversia entre los candidatos a la presidencia de ese país [3].

La administración de esos registros excepcionales —la más dilatada expansión de la historia, la de mayor creación de riqueza y el mayor superávit público— modificaba las propias reglas del juego político; también por primera vez en la historia política de ese país los candidatos se vieron obligados a tomar en consideración esa condición de inversores asumida por la mayoría de los votantes, para quienes la evolución de las cotizaciones bursátiles constituye ya una parte relevante de su riqueza y, en consecuencia, de su comportamiento económico.

Esa inusual coexistencia de una baja tasa de desempleo con la ausencia de presiones sobre los salarios y los precios era la que otorgaba un carácter excepcional a esa fase expansiva, ya que, hasta 1996, un descenso del paro por debajo del 5,5% llevaba irremisiblemente consigo la emergencia de tensiones inflacionistas. El desempleo cayó en 1997 por debajo del 5% (nivel no contemplado desde los inflacionistas finales de los sesenta), sin que la inflación experimentara repunte alguno, y en abril de 2000 vencía el emblemático 4%, desafiando cualquier referencia precedente asimilada como «tasa natural» —aquella a la que la inflación se mantiene constante—, situada en el entorno del 6% por la mayoría de las estimaciones [4]. Equivalente a la tasa de paro no aceleradora de inflación (Non Accelerating Inflation Rate of Unemployment, NAIRU), había dispuesto de un predicamento en la formulación de la política económica que era cuestionado a tenor de la excepcionalidad de los nuevos registros.

Un déficit comercial y por cuenta corriente en ascenso y unas cotizaciones bursátiles también en niveles históricamente elevados proyectaban las sombras de esta situación. Para muchos analistas apenas revestían el carácter de comprensibles excesos: la contrapartida de una expansión tan excepcional que realimentaba la ilusión, las expectativas de continuidad sin límites. Esa abultada diferencia entre las compras y las ventas de bienes y servicios al exterior era también el reflejo más explícito de la contribución de esa economía al crecimiento de las demás y, en particular, a la absorción de los efectos de aquella crisis financiera del sureste asiático recién superada que, dada su intensidad y configuración geográfica, fue calificada como la primera del siglo XXI: la primera gran crisis financiera global.

Aunque la tasa de ahorro nacional había crecido durante los cinco últimos años, la inversión aumentó de forma espectacular, absorbiendo recursos del resto del mundo hasta determinar ese déficit de la balanza de pagos por cuenta corriente equivalente al 4,5% del PIB con que concluyó el año 2000, el más elevado desde la II Guerra Mundial. Esa creciente demanda de ahorro externo situó los pasivos netos de Estados Unidos frente al resto del mundo en el 20% del PIB, desde un promedio del 5% en la primera mitad de los noventa. Parecía el resultado de una tácita división del trabajo, mediante la cual la economía estadounidense se especializaba en rentabilizar más eficazmente el ahorro de las demás. Algo reflejado en sus mercados financieros, en la continua apreciación del tipo de cambio de su moneda y, desde luego, en las cotizaciones que registraban los mercados de acciones. Estos últimos no sólo eran expresivos de ese excepcional comportamiento de los principales indicadores económicos, los beneficios empresariales incluidos[5], sino que, en mayor medida, anticipaban su continuidad, descontando tasas de crecimiento de los excedentes de algunas empresas que, al desafiar cualquier referencia de contraste histórico, también lo hacían con las convenciones de valoración y, por ende, con los principios económicos al uso. En la primera quincena de marzo de ese año 2000, los principales índices de los mercados de acciones estadounidenses parecían celebrar esa cadena de récord (longevidad expansiva, desempleo, estabilidad de precios, superávit presupuestario) sin que apenas algunos escépticos advirtieran de los riesgos de desplome de las cotizaciones bursátiles, desafiantes de cualquier idea de gravedad financiera.

El exagerado reflejo de esa fase de prosperidad en los mercados de acciones condicionaba cada día más el comportamiento económico de las familias y, en especial, contribuyó a reducir su tasa de ahorro hasta niveles prácticamente nulos o negativos. Frente a una tasa de ahorro de las familias en el entorno del 9% de la renta disponible a principios de los noventa, en el año 2000 el gasto de las familias superó a la renta correspondiente por primera vez desde los años treinta. El ascenso de los indicadores de confianza amparados en el excepcional comportamiento del mercado de trabajo, en el crecimiento de las rentas salariales y en el más explícito de las cotizaciones bursátiles, estimuló ese crecimiento en el endeudamiento de los particulares. En un contexto de tipos de interés al alza como el que caracterizó el año 2000, la atención del servicio de esa deuda de las familias alcanzó niveles preocupantes (a mediados del año 2000 suponía el 13,6% de la renta disponible después de impuestos), aunque inferiores en todo caso a los vigentes a finales de la década de los ochenta.

No faltaban analistas que, lejos de asumir tales cautelas, consideraban que esos desafiantes mercados de acciones, sus cotizaciones, eran precisamente el exponente más emblemático de la nueva era de la que esa economía se encontraba a la vanguardia; la expresión de un triunfalismo paralelo al declive de los rivales, que ya mereció, como nos recordaba Robert Shiller [6], formulaciones propias de aquel patriotismo bursátil de los años veinte: «be a bull on America», «never sell the United States short», de los cincuenta, «take stock on America» o el pregonado a finales de los noventa por el banco de inversiones Merrill Lynch, «we're bullish on America». En marcado contraste con la situación a principios de los noventa, al término del siglo XX trece de las veinte mayores empresas del mundo por el volumen de capitalización en bolsa eran estadounidenses.

Progreso tecnológico y productividad

Aunque en la explicación de un comportamiento tan excepcional concurren distintos factores, la aceleración del progreso técnico cobra un papel destacado, en particular la intensidad de la inversión en tecnologías de la información y las telecomunicaciones (en las posibilidades de manipulación, organización, transmisión y almacenamiento de información en forma digital). Esta aceleración es determinante de los ritmos de crecimiento de la productividad del trabajo (el valor de la producción por hora trabajada) en el sector no agrario, significativamente superiores a los registrados durante las últimas décadas: de una mayor eficiencia en la utilización del trabajo y del capital, que de forma explícita se manifiesta a partir de mediada la década de los noventa.

Cambios en la gestión de las empresas, adopción de nuevas formas de organización y, en todo caso, la mejora de las técnicas de producción, comercialización y distribución, expresivos todos ellos del igualmente destacable crecimiento en la «productividad multifactorial» de esa economía, están estrechamente vinculados a la maduración de un largo proceso de innovación tecnológica en los sectores de la computación, la información y las comunicaciones: a la utilización eficiente de sus diversas aplicaciones en distintos ámbitos de la actividad empresarial [7]. Esas transformaciones en la función de producción de la economía (en la forma en que se transforma el capital, el trabajo y otros factores en productos finales), en un contexto de intensa competencia, son las que posibilitaron la aceleración del crecimiento del valor de la producción por unidad de tiempo y, con ello, la preservación del binomio desempleo-inflación en esos valores históricamente bajos, con el consiguiente amortiguamiento de las fluctuaciones cíclicas, manifestaciones todas ellas características de lo que se ha dado en denominar «nueva economía».

A partir de 1996, las señales de esa transformación económica se hacen más explícitas: el ritmo de crecimiento de la productividad en los sectores no agrarios pasa desde un promedio relativamente estable del 1,3% anual entre 1973 y 1995, hasta el 2,5% en los años siguientes con término en 1999. En el conjunto del año 2000, a pesar de la marcada desaceleración de la economía en el último trimestre, el crecimiento de la productividad fue del 4,3% . La explicación de ese salto, compatible con el mayor grado de utilización del factor trabajo (con una significativa creación de empleo y una no menos espectacular reducción de la tasa de paro), su vinculación al aumento de la capacidad de computación y al creciente protagonismo de las tecnologías de la información puede hacerse a través de tres canales, tal como ha sistematizado el Fondo Monetario Internacional (FMI) [8]. En primer lugar, a través de las ganancias directas de productividad generadas por las propias industrias productoras de bienes vinculados a esas tecnologías de la información. Esos aumentos han impulsado los precios de dichos bienes a la baja, especialmente cuando se ajustan sobre una base que incorpora las mejoras de calidad de los mismos. Así, por ejemplo, un ordenador personal adquirido en nuestros días incorpora mejoras en sus prestaciones que, en realidad, suponen un abaratamiento del mismo [9].

El segundo canal, a través del cual puede vincularse ese incremento de la productividad al sector de las tecnologías de la información, es la intensidad de la inversión en las mismas, reflejo tanto de su abaratamiento como de sus nuevas aplicaciones. Esa mayor profundidad del capital (el incremento en la relación capital-trabajo) ha supuesto el aumento en la cantidad de máquinas, equipos, infraestructuras disponibles para los trabajadores con el consiguiente efecto favorable sobre su capacidad para aumentar la producción con el mismo esfuerzo. El gasto en tecnologías de la información (*hardware, software* y servicios) en Estados Unidos registró un crecimiento real superior al 25% en el último lustro del siglo pasado y pasó a representar más del 30% de la inversión total. A lo largo de los últimos cinco años de la década, las industrias productoras de tecnología de la información, aunque no representaban más del 8% del PIB de la economía estadounidense, fueron las responsables de más del 35% del crecimiento real de aquella economía; contribución que fue compatible con una no menos importante al mantenimiento de la inflación en niveles relativamente reducidos, dada la tendencia al descenso de los precios de las producciones de ese sector y la facilidad del conjunto de esas industrias para aumentar la productividad. Según el Departamento de Comercio de Estados Unidos [10], entre 1990 y 1997, el sector aumentó su principal indicador de productividad (el valor añadido por trabajador) en una media del 10,4% anual, con tasas superiores al 20% en algunos de esos subgrupos.

El tercer canal, que permite establecer una asociación entre crecimientos de la productividad y ese sector, lo constituyen los efectos positivos derivados de la utilización creciente de esas tecnologías: los denominados «efectos *spillover*», que expresan la capacidad de incremento de los rendimientos de una inversión como consecuencia de la realización por otros de inversiones similares; el caso de las inversiones en Internet, el aumento del valor de la red a medida que aumenta el acceso a la misma (la generación de externalidades de red), es suficientemente ilustrativo a este respecto.

El efecto de esas mayores ganancias de productividad fue un aumento de la oferta agregada, una reducción de los costes unitarios que, en un entorno de intensa competencia, se tradujo en menores presiones inflacionistas y, en definitiva, en un menor riesgo de endurecimiento excesivo de las condiciones monetarias y con él, de brusca conclusión de la fase expansiva de la economía. Esa menor volatilidad del ciclo (la percepción de extensión de su fase expansiva) estimuló a su vez los alimentadores del círculo virtuoso: la creciente importancia relativa del *stock* de capital, determinada por el espectacular aumento de la inversión empresarial (duplicada en términos reales a lo largo de la pasada década), y la calidad de éste, particularmente importante en bienes de capital y *software* por trabajador [11]; todo ello contribuyó a garantizar incrementos adicionales de la productividad, que seguía manifestándose sin que la aparente maduración de la fase expansiva y la asociada limitación en la oferta de trabajo fueran obstáculos importantes.

Las estimaciones realizadas por Stephen Oliner y Daniel Sichel [12] concluyen que el 75% de la aceleración en el crecimiento de la productividad en la segunda mitad de los noventa es debida a la inversión en tecnologías de la información. Según estos autores, la inversión en *hardware* se multiplicó por dos entre 1996 y 1999 hasta representar 0,6 puntos porcentuales al año, mientras que la contribución total del conjunto de las tecnologías de la información (*hardware, software* y equipos de comunicaciones) casi se dobló en esos años hasta representar 1,1 puntos porcentuales [13].

Con todo, la captación de las ganancias de productividad sigue generando un razonable escepticismo, amparando las presunciones de que las estadísticas convencionales son insuficientes e incompletas. Trabajos recientes como los de William D. Nordhaus [14], de la Universidad de Yale, inciden precisamente en esa falta de precisión de las medidas de las variaciones de la productividad, incapaces de captar, por ejemplo, los cambios frecuentes en la propia naturaleza o composición de algunos productos, así como las modificaciones en la localización de los factores de producción (trabajo y capital) entre distintos sectores; de sus trabajos puede deducirse una sobrevaloración de ese crecimiento de la productividad, coincidente con las posiciones más escépticas del profesor de la Universidad de Northwestern, Robert Gordon, que limita la singularidad del crecimiento de la productividad al sector de fabricación de bienes informáticos. Otros estudios igualmente animados por esa desconfianza en las estadísticas oficiales apuntan conclusiones en la dirección opuesta, de infravaloración del crecimiento de la productividad, en la medida en que esos registros no alcanzan a considerar efectos de difícil medición, como las ganancias para los consumidores asociadas al del comercio electrónico (el aumento de la transparencia, la facilidad de la comparación, la disponibilidad durante las veinticuatro horas del día, la ausencia de costes de transporte, etc.), ventajas que no son incorporadas a la medición convencional del PIB y, en consecuencia, nunca aparecerán registradas en aumentos de la productividad.

Más allá de los problemas de estimación, el debate acerca de las fuerzas que han estimulado ese comportamiento excepcional de la economía estadounidense en la última década refleja el existente acerca de las fuentes del crecimiento económico. Dos aproximaciones teóricas, la amparada en el «enfoque neoclásico» y la denominada «nueva teoría del crecimiento», o del crecimiento endógeno, han encontrado en la explicación de lo ocurrido con la productividad norteamericana en ese lustro una excelente oportunidad para contrastar su diferentes hipótesis y explicaciones [15]. El primero defiende que la acumulación de capital, en su más amplia definición, determina el crecimiento a corto plazo, pero acaba sucumbiendo a los rendimientos decrecientes, de forma que el crecimiento a largo plazo de la productividad es enteramente debido al progreso técnico exógeno. La nueva teoría del crecimiento sostiene, sin embargo, que el crecimiento de la productividad puede continuar indefinidamente sin necesidad de estímulos externos, ya sea evitando esos rendimientos decrecientes del capital o explicando el cambio técnico internamente. En la explicación del proceso de crecimiento estadounidense en esos años ambas perspectivas analíticas encuentran su complementariedad y su propia contribución, como ha reconocido el propio Stiroh [16]. Los métodos utilizados por los autores representativos del primer enfoque (del que el propio Stiroh es uno de los destacados) convienen en que lo que explica el crecimiento de la productividad en Estados Unidos ha sido esa combinación de la aceleración del progreso técnico en industrias de alta tecnología y la consiguiente inversión en tecnologías de la información. Pero ese mismo enfoque neoclásico es incapaz de explicar por qué el progreso técnico se aceleró en las industrias de alta tecnología, tarea que, como afirma Stiroh, dejan a los teóricos del segundo enfoque. Los incentivos sobre las decisiones de las empresas que han protagonizado el proceso de innovación y creación de conocimiento son la razón que aportan los partidarios del crecimiento endógeno.

Todavía en julio de 2000, cuando la economía estadounidense superaba los diez años de crecimiento ininterrumpido, el sector de alta tecnología era, según la Reserva Federal, el principal responsable del aumento en la producción industrial. La producción de semiconductores crecía en un mes en un 4,5%, un 77% por encima de los niveles del año anterior; la producción de ordenadores y equipos de oficina lo hacía un 2,5%, con un incremento del 43%. Esa intensidad inversora (para algunos, una verdadera «sobredosis» que acabaría pasando factura) contribuía a explicar los excepcionales registros de productividad que seguía manifestando dicha economía: ritmos de crecimiento superiores al 5%, los más elevados de los últimos diecisiete años, que superaban el correspondiente crecimiento de la remuneración del trabajo haciendo que los costes laborales unitarios (el coste del factor trabajo por unidad de producto) se mantuvieran constantes o incluso decrecieran.

Estas cifras parecían truncar definitivamente la tradición que señalaba el descenso en el crecimiento de la productividad a medida que maduraban las fases de expansión, en tanto que las empresas se veían obligadas a contratar trabajadores menos cualificados en un mercado sin oferta suficiente. El reconocimiento mayoritario del carácter estructural de esas variaciones (de forma destacada por el presidente de la Reserva Federal) se traducía en la correspondiente aceptación de las posibilidades de prolongación del crecimiento económico sin generar tensiones inflacionistas, incluso en unas condiciones del mercado de trabajo que hasta hace poco se consideraban difícilmente compatibles con la estabilidad [17].

No sólo ha sido destacable la explosión de la productividad del trabajo, sino también el otro componente que garantiza que esos incrementos se traduzcan en aumentos de la renta por habitante: la relación entre el número total de horas trabajadas y la población del país, la medida, en definitiva, del grado de utilización del factor trabajo. Aunque algunos países han registrado crecimientos en ese primer componente superiores al de Estados Unidos, ello ha sido debido, en general, a menores niveles de utilización del trabajo, con lo que las ganancias de productividad en esos países han sido en gran medida el reflejo de la expulsión de los trabajadores menos cualificados y de la sustitución de capital por trabajo.

Si ese aumento de la productividad fue compatible con el del empleo y el del conjunto de las rentas salariales, no es menos cierto que ha sido mucho más explícito el aumento de los beneficios empresariales, que han elevado su participación en la renta nacional hasta niveles desconocidos desde los años sesenta. El crecimiento de esos excedentes ha sido el principal estímulo al crecimiento en la inversión y a la atracción de capital exterior bajo todas sus modalidades (inversiones directas y de cartera, fundamentalmente), desde economías en que la rentabilidad era significativamente inferior: el área euro, sin ir más lejos. Un desplazamiento de capitales desde el continente europeo que, a tenor de su mayoritaria concreción en inversiones directas y de cartera, parecía destinado a la adquisición de esas ventajas que algunas empresas estadounidenses habían anticipado, particularmente en los sectores más próximos a esa convergencia entre la creciente globalización y la extensión de las aplicaciones empresariales de las tecnologías de la información.

La virtuosa combinación de crecimiento de la productividad y de la utilización del trabajo durante un periodo dilatado de tiempo, determinante del correspondiente aumento de la renta por habitante, no es habitual en las economías avanzadas. La conocida hipótesis del *catch-up* sugiere que los países de renta per cápita inicialmente baja son los que deberían crecer más rápidamente, aproximándose a los países más avanzados. La idea que subyace en esa proposición es que los países menos desarrollados están en disposición de beneficiarse de la tecnología, del conocimiento y de la experiencia de los más desarrollados y, de esta forma, elevar su ritmo de crecimiento de la productividad del trabajo a ritmos relativamente rápidos. Formulación que se deriva, en última instancia, de los rendimientos decrecientes del capital: en dos países con la misma tasa de inversión, el más adelantado añade menos a su *stock* de capital que el menos desarrollado, y además el impacto productivo de ese capital es inferior, porque la productividad media y marginal del capital en una economía más atrasada es mayor. La conclusión es que si el estado estacionario es el mismo (misma tasa de inversión y de crecimiento poblacional), el país más atrasado ha de crecer más rápidamente. No ha sido el caso de la economía de Estados Unidos, inmersa como hemos visto durante muchos años en una intensa expansión y también situada desde hace tiempo en la frontera mundial de la productividad en muchas áreas y a la cabeza de la renta por habitante.

Ese otro desafío a la tradición que supone un comportamiento tan excepcional, la significativa discontinuidad en el ritmo de crecimiento de la productividad y su incidencia en la elevación de la tasa de crecimiento potencial de la economía, amparó esa en principio ampulosa caracterización de «Nueva Economía», asumida precipitadamente por algunos analistas como un «nuevo paradigma», que dejaba obsoleta la presunción de que el riesgo de inflación limita las posibilidades de expansión económica. La combinación de intenso crecimiento de la productividad y el aumento de la competencia, debido a la creciente integración económica internacional, podría garantizar la coexistencia de elevados ritmos de crecimiento con estabilidad de precios. Se llegó a considerar que era el resultado de una mutación en el sistema económico que disponía de alcance suficiente como para que quedaran en desuso algunos de los tradicionales principios del análisis económico e incluso de valoración de empresas, pero también algunas de las reglas de comportamiento de los agentes que operan en el mismo.

Presunciones todas ellas que todavía al final del año 2000 eran desigualmente asumidas por las principales instituciones internacionales: con más distanciamiento y cautelas en el Fondo Monetario Internacional (FMI) que en la Organización para la Cooperación y el Desarrollo Económico (OCDE).

Admitiendo la singularidad de esos aumentos en la productividad, el informe del FMI [18] sostenía que los mismos pueden representar simplemente saltos generados por un gran cambio tecnológico, propios de un proceso de la vieja economía. La discrepancia fundamental entre ambas instituciones radicaba en la desigual asunción del aumento en la tasa de crecimiento no inflacionario en Estados Unidos, elevado por la OCDE hasta el 3,6% anual, un punto por encima de sus anteriores estimaciones. El FMI, por su parte, siguiendo muy de cerca las ideas de uno de los académicos más escépticos sobre la existencia de una nueva economía, Robert Gordon [19], relativiza el alcance de esos cambios tecnológicos sobre la capacidad para sostener los ritmos recientes de crecimiento de la productividad y su extensión al conjunto de la economía, más allá de algunos sectores concretos. Para este autor, una parte significativa de la aceleración de la productividad estadounidense tiene un carácter cíclico, asociado estrechamente a la expansión de ese periodo, y ha tenido lugar en el sector de bienes duraderos, de forma destacada en la producción de ordenadores y otros bienes en el sector de las tecnologías de la información. Sobre esa base, a medida que la producción de ese sector experimente la desaceleración que, en general, se esperaba para el conjunto de la economía, así lo haría, según Gordon, la contribución a esos excepcionales registros de productividad.

A pesar de que en el último trimestre de 2000 la productividad crecía a un ritmo anual del 2,4%, muy por debajo del 4,3% del conjunto del año, el último Informe Económico del presidente de la Administración Clinton subrayaba el carácter estructural de prácticamente todo el incremento en la productividad estadounidense desde 1995. La propia Reserva Federal hacía lo propio en su Informe de Política Monetaria al Congreso en febrero de 2001, anticipando un crecimiento de la misma a pesar de la marcada desaceleración en el ritmo de crecimiento de la economía. El primer trimestre de 2001, sin embargo, aportaba la menor tasa de variación de la productividad de los últimos seis años (1,2% anual), de la mano del igualmente menor ritmo de crecimiento económico y de la inversión en esas tecnologías.

Con independencia de las estimaciones concretas de las implicaciones macroeconómicas de esas transformaciones, es difícil pasar por alto la contribución de esos avances tecnológicos al excepcional comportamiento de la economía de Estados Unidos en el último lustro del siglo XX. La inflación existe y también los ciclos económicos, como muy bien se ilustraba en la significativa desaceleración de la propia economía norteamericana a partir del último trimestre del año 2000, pero hay razones para hablar de modificaciones significativas que avalarían en general esa caracterización singular. La manifiesta moderación en el ritmo de crecimiento económico, la extendida presunción del inicio de esa largamente esperada fase de aterrizaje de la economía, a la que acompañaba una larga e intensa corrección en las cotizaciones bursátiles, cuestionando alguna de las más aventuradas implicaciones de la nueva economía, no lo hacía, sin embargo, con la convicción de su arraigo. En realidad, los ajustes derivados de esa desaceleración de los meses finales de 2000 contrastaban con los de fases similares anteriores, en particular las variaciones en los inventarios que, como reconocía la Reserva Federal, se beneficiaban de esas mayores y más eficientes posibilidades de gestión en tiempo real que permitían las mejoras tecnológicas introducidas en las empresas. El sector del automóvil era uno de los principales exponentes de esa mayor y más rápida adecuación de la oferta a las variaciones de la demanda propiciada por las mejoras técnicas de los últimos años.

En las ya evidentes posibilidades de extensión a otros países, de «globalización» de las bases sobre las que se asienta esa nueva economía, descansaron aquellas presunciones que situaron al conjunto de la economía mundial en el seno de una larga fase de expansión susceptible de prolongación hasta al menos el primer cuarto del siglo XXI [20]. Tal previsión asumía la intensificación durante las próximas décadas de la dinámica de innovación tecnológica de diversa naturaleza, de la revolución digital en ciernes o, más concretamente, su potencial de aplicación a los procesos de producción y distribución en numerosos países, culminando la configuración de esa «era de la información», de la «economía del conocimiento», denominaciones que indistintamente cobijan la ahora más genérica «nueva economía».

La actitud hacia el riesgo y el fracaso

La mediadora entre esa dinámica de innovación tecnológica y el excepcional cuadro de resultados de la economía estadounidense es la actividad empresarial. La intensificación de la inversión en esos equipos y aplicaciones, la emergencia de nuevas empresas dispuestas a aprovechar las oportunidades asociadas a la utilización de esas tecnologías y la adaptación de las organizaciones han articulado ese proceso de destrucción creativa, el nexo entre la generación de innovaciones y su aplicación económica. Una mediación que ha encontrado fundamentos propicios no sólo en las condiciones estructurales que caracterizan el funcionamiento de esa economía, sino igualmente en la disposición de la capacidad emprendedora necesaria para la movilización de esas nuevas posibilidades tecnológicas. Ambos aspectos son el resultado de una larga y compleja transformación del sistema económico, de adaptación de sus agentes a alteraciones en el entorno nacional e internacional. Un proceso que, aunque sus más explícitas manifestaciones sean recientes, hunde sus raíces en aquellas otras reformas y transformaciones iniciadas a finales de los ochenta, orientadas a una mayor liberalización y desregulación de sectores básicos de las economías, a su apertura al exterior, a la reducción de impuestos y, en general, a la cesión de un mayor protagonismo a los mercados financieros en el escrutinio de la gestión empresarial, en un contexto de intensificación de la competencia y aumento de su base geográfica.

La adaptación a ese nuevo entorno global motivó diversas reacciones empresariales en la dirección de una mayor flexibilidad organizativa, de una redefinición de la dimensión óptima de las empresas orientada a la reducción de costes (inspiradoras de acciones tales como la denominada reingeniería de procesos, la externalización de actividades o el indiscriminado adelgazamiento de las organizaciones); pero también propició la emergencia de nuevas empresas, de recién llegados a sectores considerados poco menos que blindados, con fuertes barreras de entrada. Actores nuevos que abrazaron en su mayoría las tecnologías emergentes al tiempo que, al cuestionar el *statu quo* empresarial, forzaron un proceso de reestructuraciones sin precedentes del que emergieron, a su vez, nuevas unidades empresariales y nuevos modelos de organización.

Si, con palabras del último secretario del Tesoro en la Administración Clinton, Lawrence H. Summers, «la nueva economía está construida sobre viejas virtudes: ahorro, inversión y dejar operar a las fuerzas de mercado» [21], en realidad es la actitud hacia el riesgo (una manifiesta menor aversión y una más activa gestión del mismo) la que está contribuyendo a acelerar la transformación del capitalismo estadounidense. No es otra la condición necesaria para que la dinámica de innovación en su más genuina acepción posibilite la ampliación del potencial de crecimiento económico; una tensión de cambio continuo, que necesariamente nos remite a la capacidad para emprender exhibida por el sistema norteamericano.

Una disposición a asumir riesgos y una tolerancia por el fracaso que explican esas elevadas tasas de natalidad y mortalidad empresarial y la selectiva asignación de capital humano a esa función emprendedora.

Si la asunción de riesgos, su gestión activa, es un rasgo del progreso, en una economía global alcanza una importancia crucial. Es la transformación de las numerosas fuentes de incertidumbre en oportunidades la que asigna ventajas diferenciales a los agentes económicos con menor aversión al riesgo, propiciando en última instancia la innovación y la consiguiente creación de riqueza.

Sobre esos rasgos se ha asentado esa «nueva ecología empresarial», como la ha caracterizado Bradford DeLong [22], que tiene en el californiano Silicon Valley su referencia más emblemática, pero que ha ido extendiéndose a diversas zonas y ámbitos, incluidos los que hasta hace poco amparaban a las empresas de la economía tradicional. El crecimiento de las «incubadoras» de empresas, la proliferación de fondos de capital riesgo, o la generación de iniciativas específicas en el seno de las universidades, son exponentes de ese clima propiciador del arraigo de la nueva economía.

Instituciones y políticas

Si los incentivos económicos y sociales a esa asignación de recursos han sido importantes, su concreción es difícil sin la existencia de las instituciones adecuadas, en particular un sistema financiero favorecedor de la innovación y, en definitiva, de un uso más eficiente del capital. El mayor protagonismo de los mercados de capitales frente a la financiación bancaria, la existencia de una estructura operativa e institucional más flexible y apta para la financiación de proyectos con riesgo, la mayor receptividad a la innovación financiera, con el fin de adecuar las modalidades de financiación a las exigencias de los demandantes, y facilitar la transferencia de riesgos y su descomposición propician que la emergencia de ideas viables encuentre mayores probabilidades de cobertura financiera que en otros sistemas como los de Europa continental o Japón. Una dinámica de innovación financiera que, a su vez, se ha beneficiado de forma destacada de los propios avances en esas tecnologías de la información y de las telecomunicaciones, facilitando no sólo una mayor proximidad e inmediatez en la realización de operaciones financieras, una más ágil conexión entre todos los agentes financieros, sino también haciendo posible la emergencia y generalización de nuevos productos, servicios y técnicas de financiación e inversión, cada vez más sofisticados y supuestamente ajustados a las demandas de ese capitalismo impaciente.

El papel de ese sistema financiero en la financiación de las nuevas empresas (en ocasiones concretadas en poco más que ideas o proyectos), en las operaciones de reestructuración, fusiones, adquisiciones de todo tipo, o en el abandono de muchas otras, ha acompañado el proceso de destrucción creativa y también ha propiciado sus excesos. Como veremos más adelante, los principales mercados e instituciones financieras, lejos de garantizar un funcionamiento estable, son susceptibles de albergar excesos y provocar reacciones en sus cotizaciones distantes de la racionalidad que pueden llegar a abortar el círculo virtuoso y, lo que es más inquietante, dada su envergadura y estrecha integración internacional, a extender la inestabilidad al resto del mundo. Algunas evidencias ya se dejaban notar suficientemente en los primeros meses de 2001.

En ese favorable grado de determinación del sistema financiero sobre el excepcional comportamiento de la economía estadounidense, la existencia de condiciones monetarias adecuadas ha encontrado uno de sus más importantes apoyos en la habilidad y la suerte de la Reserva Federal de Estados Unidos para adecuar su política monetaria. Con razón, pero no exento de paradojas, el nacimiento y desarrollo inicial de la nueva economía se presenta asociado al presidente de la Reserva Federal, Alan Greenspan, artífice de la política monetaria que ha posibilitado la compatibilidad entre la estabilidad de los precios y la excepcional longevidad de la fase expansiva de la economía [23]. Fue Greenspan uno de los primeros proponentes de la explicación de esas transformaciones estructurales configuradoras de la nueva economía que justificaban esa inusual coexistencia entre la continua reducción del desempleo y la correspondiente a la tasa de inflación a partir de 1996. Los testimonios sucesivos en esa dirección de reconocimiento de las alteraciones empresariales que estaban teniendo lugar, de su impacto en la dinámica macroeconómica, son tanto más dignos de atención cuanto mayor es la reticencia a admitir variaciones tales por los banqueros centrales, y en mayor medida con la experiencia y cautelas de Alan Greenspan.

La causa última de la nueva economía no ha sido la política de la Reserva Federal, como algunos analistas atribuyeron, pero sí es una de las instituciones que en mayor medida ha posibilitado la extensión de esta fase de crecimiento en cuyo seno han arraigado los fundamentos de la renovación económica. La resistencia a las presiones que demandaban aumentos de los tipos de interés a medida que la expansión se intensificaba propició la emergencia y el crecimiento de esas empresas y, desde luego, ese comportamiento de los mercados bursátiles cuyas cotizaciones alcanzaron los niveles estratosféricos vigentes hasta el 14 de abril del año 2000.

Bien entrado ese año, con ocasión de uno de los testimonios ante el congreso de su país, Alan Greenspan admitía sin ambages esas transformaciones que obligaban a analizar la dinámica macroeconómica de aquella nación con una perspectiva distinta. Confirmaba que el crecimiento de la productividad había incrementado la oferta potencial de la economía, al tiempo que había contribuido a mejorar la confianza en el crecimiento de los beneficios empresariales en tal extensión que también la demanda agregada se había visto estimulada, aunque en menor medida, aportando ya los esperados síntomas de aterrizaje suave de aquella economía. El conservador presidente de la Fed asumía las transformaciones que habían conducido a que esas herramientas del conocimiento, los «componentes conceptuales», dispusieran de una creciente participación en el valor de la producción nacional de aquella economía. Todo ello favorecía la prolongación de esa fase expansiva y la suavización de las fluctuaciones en el ritmo de actividad, evitando, al menos por el momento, esa brusca discontinuidad precursora de las recesiones en que derivaban las decisiones de excesivo endurecimiento monetario adoptadas por el respetado Federal Open Market Committee, el órgano ejecutivo de la Reserva Federal.

Junto al banco central, la orientación de la política presupuestaria y de la política industrial del gobierno estadounidense también han jugado un papel favorable en la conducción de esa economía a una nueva era. La primera, a través de una marcada orientación al saneamiento y a la reducción de la deuda pública que ha constituido un importante factor de transmisión de confianza en las empresas y en los inversores, liberando recursos financieros y facilitando la suavización de los tipos de interés y, en definitiva, mejores condiciones para la inversión empresarial. La posibilidad de que en un plazo no superior a diez años la deuda pública quede completamente cancelada constituye efectivamente un estímulo de primera magnitud para la asignación de recursos a destinos empresariales, al fomento de la continuidad de esa dinámica de innovación. La captación de financiación en condiciones aceptables de precio, al menos como las que pueden obtener los competidores internacionales, es crucial para la viabilidad de los numerosos proyectos que emergen en torno a las tecnologías de la información y de las telecomunicaciones.

El maridaje entre la política de generación de ingresos y asignación de gastos públicos con la existencia de programas específicos orientados a potenciar el uso de las nuevas tecnologías ha sido esencial en esa ventaja que durante años ha definido a la economía estadounidense frente al resto. La generación de innovaciones en el ámbito de la administración (Internet, sin ir más lejos) y la importancia relativa del gasto público en educación e investigación han sido determinantes en la creación de ese clima propicio al arraigo de las transformaciones económicas. Una observación que cuestiona ese emparejamiento causal entre nueva economía y reducción de la acción de los gobiernos, de la política; desde la creación de las condiciones de base, del caldo de cultivo en el que tienen lugar esos cambios, hasta la más difícil defensa de la competencia en las nuevas condiciones de actuación empresarial, sin olvidar la participación activa como inversores, los gobiernos pueden facilitar la emergencia de esas nuevas coordenadas en las que se enmarca la renovación económica. Incluso las más encendidas apologías del tópico individualismo norteamericano no pueden ocultar la importancia que en esa extraordinaria fase de prosperidad económica, y desde luego en la emergencia de las nuevas aplicaciones tecnológicas, han tenido los programas de inversiones públicas en ciencia y tecnología, la sensibilidad reguladora y la atención al correcto funcionamiento de los mercados: a tratar de garantizar el juego limpio en unas circunstancias que son significativamente distintas a las dominantes en el último medio siglo.

Un estudio del Critical Technologies Institute (institución creada por el Congreso estadounidense en 1991), elaborado por Popper, Wagner y Larson [24], demuestra la valoración favorable que hacen las empresas de las actuaciones del gobierno, de su papel en ese tándem integrado por la industria y el sistema de investigación universitario. Un reconocimiento, el de la necesidad de interacción formal entre el sector privado y el público, ahora más explícito que hace apenas unos años, equivalente al que atribuyen a la correspondiente entre proveedores y clientes. El informe destaca precisamente la escasa preocupación del sector privado por esa supuesta superación de las fronteras tradicionales de la actividad del gobierno y esa suerte de mediación en aspectos estratégicos de las empresas.

Mercado de trabajo y sistema educativo

La estructura y el funcionamiento del mercado de trabajo desempeñan un papel importante en la explicación del contraste que ofrece el desigual aprovechamiento en Estados Unidos y en el resto de los países industrializados de los avances en las tecnologías de la información. Las elevadas tasas de rentabilidad ofrecidas por las nuevas tecnologías en Estados Unidos son en gran medida el resultado de una reducción en los costes del trabajo por unidad de producto, compatibles con el aumento de los salarios y otras clases de compensaciones.

La posibilidad de aplicación empresarial de esas nuevas tecnologías ha encontrado en la flexibilidad del mercado laboral un cómplice importante, y así se ha encargado de subrayarlo el propio Alan Greenspan [25] al destacarlo como uno de los más importantes factores que explica el diferente grado de desarrollo de la nueva economía en Estados Unidos y en el resto de los países industrializados, Europa continental y Japón, fundamentalmente. La existencia de costes de despido significativamente más bajos y la mayor movilidad geográfica de los trabajadores sintetizarían esos rasgos diferenciales propiciadores de un uso más eficiente del factor trabajo, al tiempo que un aumento considerable en el ritmo de creación de empleo.

En la medida en que esos costes de desplazamiento son inferiores, los correspondientes riesgos asociados al aumento del empleo también lo son, facilitando la intensa actividad del mercado de trabajo que, en términos netos, se ha traducido en un espectacular descenso del desempleo en los últimos años. La contrapartida a esa flexibilidad en el mercado laboral es la precariedad adicional creada por el rápido cambio económico y tecnológico: el sentimiento de inseguridad de un número creciente de trabajadores, aun en estas condiciones de reducido desempleo. Como ha admitido el propio Greenspan, la ansiedad derivada de ese temor a que las habilidades laborales queden obsoletas está ejerciendo una presión sin precedentes sobre los sistemas educativos y de formación profesional, con el fin de preparar y adaptar a los trabajadores al manejo efectivo de las nuevas tecnologías. Presiones que seguirán siendo intensas en la medida en que lo sea esa migración hacia el dominio de la producción vinculada a las nuevas tecnologías, convirtiendo la capacitación del capital humano, la educación, en la principal prioridad. Esto es algo con validez verdaderamente universal a la hora de abordar las condiciones de propagación de los factores que han determinado la renovación económica en Estados Unidos.

Capítulo 2
La economía en la red

En la singularidad del cuadro de resultados que ha puesto de manifiesto la economía estadounidense durante la segunda mitad de los noventa y su creciente acreditación como exponentes de una «nueva economía», el desarrollo de las tecnologías de la información y telecomunicaciones disponen del principal protagonismo. La tríada que integran la generación de *software*, el desarrollo de la microelectrónica y el de las tecnologías de las telecomunicaciones, expresiva de la tendencia a la digitalización de la información, reviste un carácter estratégico, se impregna de esa naturaleza de «tecnologías críticas» en la generalidad de los sectores industriales, pasando a ser elementos esenciales en la transformación de numerosos procesos empresariales.

De la importancia económica que reviste esa simbiosis de las tecnologías de la información y de las telecomunicaciones dan cuenta el crecimiento del valor de su producción y su peso específico como factor de la producción de otros sectores. La inversión privada en esas tecnologías, que apenas representaba en los años ochenta un 10% del gasto en inversión en Estados Unidos, superó en el año 2000 el 50% [1]. Ese sector representaba en Estados Unidos a final de 1998 un 4,1% del PIB, frente al 2,5% promedio en otros países de la OCDE, siendo el responsable de una cuarta parte de la producción nacional norteamericana desde 1992. Estimaciones de International Data Corporation situaban el gasto de las empresas en tecnologías de la información en todo el mundo, durante 2000, en algo más de 1 billón de dólares, el 40% en *hardware* y el resto en *software* y servicios. La mitad aproximadamente de ese gasto se realizaba en Estados Unidos mientras que el de Europa occidental representaba el 28%.

En realidad, ese choque tecnológico tiene dos dimensiones complementarias. En primer lugar, la asociada específicamente a la tecnología, a la sucesión de hallazgos que se acumulan al conocimiento en ese ámbito y permiten la generación de aplicaciones, de técnicas que aumentan la eficiencia económica. En segundo, la intensificación de la dinámica de innovación en las propias organizaciones empresariales, en los procesos de producción, de distribución o en las formas de decisión y organización. La estrecha y rápida interacción entre ambas corrientes contrasta con las discontinuidades en el progreso tecnológico observadas en fases históricas anteriores. La dinámica de la primera trasciende con rapidez a los laboratorios y los centros de investigación, siendo absorbidas sus aplicaciones por todo tipo de agentes e instituciones, en particular empresas, al tiempo que esa rápida y eficiente absorción, en un contexto de intensa competencia, estimula el mantenimiento del elevado ritmo de desarrollo tecnológico, así como la realización de esfuerzos adicionales para la asignación al mismo de recursos crecientes. En mayor medida que en otras fases históricas, la innovación se encuentra ahora en el centro de gravedad de la actividad económica, en la mayoría de los sectores, pero desde luego en el de las tecnologías de la información y de las telecomunicaciones.

La singular intensificación del progreso tecnológico durante los noventa, aunque más explícita en Estados Unidos, ha sido común a todos los países industrializados. El gasto en Investigación y Desarrollo (I+D), considerado sólo una parte de la inversión en innovación, alcanzó 500.000 millones de dólares en 1997 [2], el 2,2% del PIB conjunto de los países industrializados integrados en esa organización. Indicadores aproximados de la magnitud de ese gasto, como el crecimiento en el número de patentes registradas, pueden ofrecer una idea del significativo aumento experimentado en los años siguientes.

Los ciclos tecnológicos se han acortado impulsados por las exigencias de su aplicación y por esa más inmediata movilización económica, derivada de su mayor integración en las estrategias empresariales. Los laboratorios, los centros de investigación y desarrollo, dejan de ser unidades aisladas, inmunizadas frente a esa pretensión por ofrecer resultados inmediatos que impregnan las unidades corporativas, para pasar a engrosarlas y servir de forma más explícita e inmediata a la maximización de la riqueza de los accionistas, objetivo fundamental de las empresas. Como principal factor dinamizador del progreso tecnológico las aplicaciones empresariales han sustituido a la pretensión por alcanzar la supremacía militar que estimulaban los impulsos tecnológicos de las décadas de los cincuenta y los sesenta, durante la guerra fría. Ese concepto de «tecnologías críticas», derivado del correspondiente calificativo aplicado a los materiales —aquellos recursos sin los cuales las fuerzas militares dejarían de funcionar eficazmente— a finales de los ochenta, deja de ser exclusivo del argot militar para ampliar su significado a las potenciales implicaciones sobre la capacidad competitiva de las empresas que tendría su disposición o carencia y, por ende, a la prosperidad de las naciones[3].

El redescubrimiento por parte de los economistas hace algunos años de Joseph Schumpeter cobra ahora una marcada intensidad. En particular sus proposiciones sobre la «destrucción creativa» que acompaña a todo proceso de innovación, incorporadas como fundamento de la moderna teoría del crecimiento económico. En su libro *Capitalismo, Socialismo y Democracia*[4], Schumpeter atribuye a la creatividad un papel fundamental en la actividad económica: el capitalismo remunera a los que crean nuevos productos y procesos mediante la apropiación de los beneficios a corto plazo de la explotación en condiciones de monopolio de esas innovaciones[5]. Son esas ventajas monopolísticas temporales las que estimulan a los creadores a buscar oportunidades de innovación, las que promueven esa dinámica de destrucción creativa.

Con independencia del grado de adecuación a ese paradigma anticipado por el economista austriaco, la singularidad histórica de la dinámica de transformación en el sector de la información y de las telecomunicaciones tiene su principal aval en unos efectos económicos ya suficientemente explícitos. La mayor capacidad de procesamiento de la información derivada de la fabricación a gran escala de semiconductores, la masiva construcción de redes de comunicación que vinculan los ordenadores (cada día más potentes y más baratos), la generación de un *software* más amplio y versátil reducen los costes de procesamiento, los de almacenamiento de datos y los de comunicaciones, con resultados económicos cada vez más elocuentes. Los sistemas de producción, distribución y comercialización de empresas pertenecientes a diversos sectores incorporan esas nuevas posibilidades, amplían la retícula y, con ello, realimentan el círculo virtuoso mediante la generación de estímulos adicionales a la innovación: al aumento de la inversión en equipos vinculados a esas tecnologías y a su correspondiente *software*, con el consiguiente efecto favorable sobre el crecimiento económico y sobre el de la productividad de las empresas que los aplican. Una espiral huérfana de precedentes de cierta relevancia en Estados Unidos, dado el tradicional agotamiento del crecimiento de la productividad a medida que aumentaba la longevidad de las fases expansivas del ciclo económico, cuya explicación más plausible radica en esa no menos excepcional «profundidad del capital» a través del aumento de la inversión en tecnologías de la información (en equipos y aplicaciones), en el mayor peso que cobra la cantidad de capital y en la mayor calidad de éste, sobre la correspondiente fuerza de trabajo.

Una dinámica de éxito, de perfeccionamiento, que se asienta sobre la eliminación de lo viejo, en ocasiones, conviene llamar la atención sobre ello, de forma precipitada, con esa impaciencia que ha caracterizado los impulsos iniciales de la nueva economía. Nuevos equipos que aceleran la obsolescencia de los existentes, nuevas plantas y nuevas formas de producción. Nuevas empresas que desplazan a las viejas, pero también muchas otras que no resisten los avatares de esa dinámica darwiniana sin apenas llegar a superar el estadio de neonatos. Algo consustancial a la intensificación de fases de innovación y, en particular, a las pretensiones por encajar sus desarrollos y aplicaciones en la actividad empresarial. Un proceso de aprendizaje y de experimentación al que no sobreviven todos aquellos proyectos empresariales que procuran explotar las oportunidades de creación de valor que se suponen asociadas a las nuevas tecnologías.

Esas transformaciones han puesto a prueba muchos vaticinios, ahora recordados con tanta frecuencia como ironía, acerca de la trascendencia y las implicaciones del potencial de investigación y desarrollo tecnológico. Es el caso de aquella sentencia del comisario de la Oficina de Patentes de Estados Unidos, en la que recomendaba a las autoridades su abolición en 1889, convencido de que no podía reproducirse la intensidad investigadora registrada en esos años finales del siglo XIX. Casi cien años después, en pleno despliegue de las posibilidades de computación, también empieza a diluirse aquel escepticismo del premio Nobel de economía en 1987, Robert Solow[6], cuando afirmó: «Podrá verse la edad del ordenador en todas partes excepto en las estadísticas de productividad». La realidad no sólo ha convertido en anécdotas estas premoniciones, sino que amenaza con hacer lo propio con las más arriesgadamente ciberoptimistas que formularon Gordon Moore y Robert Metcalfe, entre otros, como veremos en el capítulo siguiente.

Si el ritmo de investigación (en desarrollo de conocimiento) ha sido importante y con él la ampliación de las fronteras tecnológicas (los mecanismos para utilizar esos conocimientos), no lo ha sido menos el ritmo de sus aplicaciones, las innovaciones que traducen unos y otros en riqueza. En campos tan distintos como la computación, las telecomunicaciones, la física de materiales, la biotecnología, esa dinámica ha alcanzado una intensidad y una proyección en distintos ámbitos de la vida económica y social (incluida la medicina y la agricultura), que razonablemente amparan las presunciones de una discontinuidad equivalente a una nueva revolución industrial.

En este capítulo se trata de identificar el vínculo entre esas transformaciones tecnológicas, fundamentalmente las propiciadas por el aumento de la capacidad de computación y la extensión de Internet, y las que se están llevando a cabo en la actividad empresarial, desde las más obvias asociadas al comercio, a las que modifican procesos y aspectos centrales en la organización y toma de decisiones de las empresas.

Mayor capacidad de computación y más barata

Aunque es cierto, como recordaban G. Dan y Jerry Hutcheson[7], que desde que los sumerios inscribieran sus primeras placas, hace más de 5.500 años, el progreso de la humanidad ha estado directamente vinculado a nuestra capacidad para almacenar y procesar información, el primer impulso a la nueva economía lo constituyó el aumento en la capacidad de computación y el continuo descenso de sus costes, un proceso cuyo origen sólo se remonta cuarenta años atrás. El desarrollo del transistor tras la II Guerra Mundial inició una oleada especial de sinergias creativas en ese ámbito que trajo consigo el microprocesador, el ordenador, los satélites, la unión de las tecnologías del láser y la fibra óptica, etc. En los noventa, esas tecnologías propiciaron la generación de una mayor capacidad para capturar, analizar y diseminar información: pusieron de manifiesto en toda su extensión las ganancias de eficiencia que pueden deparar a través de la alteración significativa de numerosas actividades empresariales, en la creación de valor, en definitiva.

Como nos ha recordado Bradford DeLong[8], al final de los cincuenta, cuando las computadoras electrónicas habían reemplazado a las calculadoras electromecánicas, apenas existían dos mil computadoras, con una capacidad media de procesamiento de unas diez mil instrucciones por segundo. En la actualidad, los ordenadores activos superan los doscientos millones y tienen una capacidad media de procesamiento superior a los cien millones de instrucciones por segundo: un millón de veces superior en poco más de cuarenta años. Una evolución que ha verificado suficientemente las previsiones implícitas en la denominada Ley de Moore.

Gordon Moore, cofundador de Intel, la principal empresa productora de *chips,* se atrevió a vaticinar en 1965, en medio del escepticismo general, que la densidad de transistores que pueden situarse en un *chip,* la capacidad de procesamiento, se duplicaría cada dieciocho meses sin apenas incremento de costes. Esa proposición ha sido ampliamente validada por la realidad: los *chips* de hoy pueden albergar una densidad equivalente a 256 veces la de 1987 y 65.000 veces la de los existentes en 1975, sin que se anticipe el estancamiento de esa tendencia, al menos durante otra década más [9]. En el año 2010 serán 10 millones de veces más potentes que los de 1975, manteniéndose sus costes prácticamente constantes [10].

Esa continua verificación de la Ley de Moore ha constituido un poderoso estímulo a la innovación, no sólo en lo relativo a esas tecnologías, sino igualmente en aquellos bienes y servicios que emplean como bienes intermedios alguna de las manifestaciones de esa creciente capacidad de computación. El valor y el ciclo de vida de muchos productos han pasado a estar determinados en gran parte por la evolución de la capacidad de computación o, más genéricamente, por un conjunto de *inputs* intangibles, por el conocimiento. Éstos ponen de manifiesto la versatilidad asociada a ese incremento en la capacidad de computación y a la consideración de los ordenadores como algo más que potentes calculadoras. El sector del automóvil es suficientemente representativo al respecto (alrededor del 70% del valor de un coche nuevo se debe a ese tipo de activos no materiales), tanto por la relevancia que las facilidades de computación incorporan a las distintas fases de su proceso de producción, como por los múltiples dispositivos que el automóvil lleva consigo cuando sale de la fábrica. La paradoja, la manifestación más elocuente de la asimetría entre el ritmo de innovación y concreción de sus aplicaciones, por un lado, y la insuficiente disposición de habilidades y conocimiento de la mayoría de los usuarios de las mismas, por otro, es la incapacidad en la que nos vemos inmersos cuando la mala fortuna nos deja el coche parado. No es menos sorprendente la mejora en el proceso de curado de los jamones o de los quesos manchegos mediante la incorporación de *chips* en cada una de las piezas que facilitan un estrecho seguimiento mediante radiofrecuencia del historial de cada una de las unidades y de su maravillosa metamorfosis[11].

Los límites a la verificación de esa ley estarían en la propia estructura molecular de los transistores de silicio, algo que viene anticipándose casi desde el mismo día en que esa ley se formuló. Sin embargo, la industria sigue ampliando esas fronteras: en el año 2000 la empresa IBM presentó su «superchip Power 4», con 170 millones de transistores, frente a los 2.200 que, en 1971, tenía el primer microprocesador, el Intel 4.004. Ese intenso ritmo de crecimiento de la tecnología del silicio obliga a ser cada día más consciente de sus límites, por lo que se han abierto nuevas líneas de experimentación con nuevos materiales y nuevas tecnologías[12].

Ese aumento espectacular en la capacidad de computación ya ha desplegado aplicaciones económicas importantes, apenas previstas hace cinco años y en prácticamente la totalidad de los sectores económicos (la agricultura, el automóvil o la exploración de nuevos yacimientos petrolíferos), pero su potencial es igualmente significativo. Lo relevante, en efecto, no es sólo esa multiplicación de la capacidad de computación o procesamiento de información generada por los semiconductores actuales, sino la ampliación de sus aplicaciones, tanto más diversas cuanto más acentuada ha sido la tendencia decreciente de sus precios. La transformación de mayor alcance en estos últimos años, la que legitima la génesis de esa nueva economía, es precisamente la adaptación y la versatilidad de esas facilidades tecnológicas: esa transición desde las meras, aunque poderosas, facilidades de cálculo hasta la generación de aplicaciones en múltiples operaciones empresariales, desde las más básicas a las más sofisticadas. No muy distinta ha sido la evolución de aquellas otras tecnologías asociadas a la utilización de los ordenadores y, en particular, las redes de comunicación que vinculan a distintos ordenadores. La capacidad y velocidad alcanzadas en la transmisión de datos se han multiplicado al tiempo que su precio no deja de reducirse, posibilitando una utilización cada día más versátil, que será tanto mayor cuanto lo sea el ancho de banda a través del que se transmiten.

Sobre esas bases, propiciadoras del crecimiento en la producción y el uso de esas tecnologías (determinantes a su vez de la modificación de actividades básicas en las empresas, el enriquecimiento de las habilidades del capital humano y, en definitiva, el cambio organizacional) se asienta el crecimiento de la productividad media del trabajo y, en última instancia, el del valor del conjunto de la producción de bienes y servicios.

La explosión de la conectividad: economías de red

Pocos podrían imaginar a finales de los sesenta que aquella red que conectaba ordenadores de universidades y dependencias de la Administración pública (las primeras procurando el contacto entre sus investigadores y estas últimas manteniendo una red de comunicación alternativa que cubriera las carencias propias de un colapso en las redes convencionales ocasionado por una guerra nuclear) derivaría veinte años más tarde en la vía más concurrida de acceso a todo tipo de información y de transacciones comerciales. Ni siquiera Tim Berners-Lee, el investigador británico del Centro Europeo de Investigación Nuclear (CERN), con sede en Ginebra, que facilitó la utilización de Internet (todavía para uso restringido entre los científicos, al definir los elementos centrales de la Web [World Wide Web], la forma más usada de Internet)[13], hubiera soñado que a esa red hoy estarían conectados centenares de millones de ordenadores en todo el mundo. Una red de redes definida por tecnologías progresivamente complementarias y que, a su vez, hospeda un número creciente de posibilidades y aplicaciones susceptibles de utilización por una población de usuarios también creciente.

La primera referencia a la web en los medios de comunicación apareció en noviembre de 1993. El Mosaic Web Browser (navegador en la red) estuvo disponible al público en febrero de 1994, aunque la mayoría de los usuarios no descubrieron Internet hasta 1997; al final del año 2000 eran más de 360 millones los usuarios habituales de esa red, que pueden ser más de 1.000 millones en 2004. No es necesario entrar en consideraciones más específicas sobre la naturaleza, la significación como verdadera innovación de Internet[14], para deducir su trascendencia económica. Tras un proceso de mejoras continuas, pero relativamente sosegadas, en velocidad y capacidad desde 1969, Internet irrumpió en la escena económica en la segunda mitad de los noventa, facilitando esa simbiosis de las posibilidades que ofrecen la computación y las telecomunicaciones: constituyéndose en una tecnología abierta y global, que acabó determinando la modificación de aspectos básicos de las estrategias empresariales. La configuración de una red de redes susceptible de conectar los ordenadores personales y éstos con otros grandes (los denominados «servidores»), permite la emergencia de estándares técnicos de comunicación cada vez más abiertos y universales, a través de los cuales es posible la transmisión simultánea de datos, voz, audio y vídeo, aumentando la capacidad y flexibilidad del sistema de comunicaciones vigente hasta hace poco.

Una revolución en la comunicación cuando menos homologable en trascendencia a la que originó la invención de la imprenta en 1455, la de la radio y la televisión. Podemos hacernos una idea de la transformación tecnológica asociada a Internet en su forma más disponible para el uso amplio, la www combinando, como sugieren Cusumano y Yoffie[15], el poder de la prensa escrita con la capacidad y velocidad del telégrafo, del teléfono, la radio, la televisión y los ordenadores. Todo ello de una forma tan fácil que es susceptible de uso por el más amplio mercado de masas: haciéndolo accesible y barato. Una dinámica, la creada con esas posibilidades tecnológicas, suficientemente importante para cambiar aspectos básicos de la vida de las personas y de las organizaciones; nuestras relaciones sociales, políticas y, desde luego, económicas.

Una infraestructura nueva y enormemente accesible, reductora de costes, incluidos los modos tradicionales de transmisión, que contribuye a la transformación de las empresas, a la organización más eficiente de sus procesos, con independencia de su tamaño. Es también una infraestructura que facilita la formación de masas críticas de interlocutores —empleados, clientes, proveedores— capaces de aprovechar de forma más eficiente el valor asociado a la información: a su amplia distribución a través de esa sorprendente explosión de la «conectividad» —que Evans y Wurster[16] anticipan con acierto como el aspecto más destacado de la revolución de la información—, derivada del crecimiento en el número de ordenadores personales y de las posibilidades de conexión de éstos a Internet; de la emergencia de un nuevo patrón de comportamiento cada vez más extendido, mediante el cual millones de personas se comunican electrónicamente utilizando estándares abiertos, de validez universal.

La creciente población en torno a la red, la audiencia global favorecida por esa vinculación amparada en estándares de conexión abiertos, es el principal incentivo al mantenimiento de la intensidad en los procesos de innovación en todo el mundo. Cuantos más se conectan a esa red de redes, más herramientas y aplicaciones se crean, aumentando la utilidad de Internet y el valor de la conexión, generando, en definitiva, «externalidades o economías de red». Este último concepto es esencial para la comprensión de ese efecto multiplicador asociado a la economía de la información. La existencia de efectos o externalidades de red no es nueva, pero ha renovado su vigencia con ocasión del dominio de las tecnologías de la información. Cuando el valor de un producto para un usuario depende del número de usuarios adicionales, se dice que ese producto exhibe externalidades de red, que serán positivas si esa relación lo es: cuando el valor de la red aumenta con el número de quienes la usan [17]. Antes de que las modernas tecnologías de la información constituyeran un caso paradigmático, lo fueron las redes físicas, como las telefónicas, los servicios postales o cualquiera de las redes de transporte. Ahora, la mayoría de los productos basados en el conocimiento, desde los sistemas operativos de los ordenadores, hasta la mayoría de las aplicaciones basadas en Internet, generan igualmente esos rendimientos crecientes o economías de escala por el lado de la demanda que constituyen los efectos de red: en todos los casos, cuanto mayor sea el número de habitantes de esas redes mayor es la utilidad de conectarse a ellas, mayores las ventajas para quien ha consolidado ofertas en la misma. La existencia de esos «efectos red» no garantiza, sin embargo, la compensación de las inversiones iniciales, ni la ausencia de competidores relevantes. Cuanto mayor sea la apertura de estándares y protocolos en torno a la red mayor será la dificultad para la apropiación por una sola empresa de tales economías.

Robert Metcalfe, fundador de 3Com y diseñador del protocolo de Ethernet para redes de ordenadores, llegó a precisar el valor de una red en aproximadamente el cuadrado del número de sus usuarios, dando lugar a la ley que lleva su nombre[18]. Junto a la ya comentada Ley de Moore, constituyen dos piezas básicas en la comprensión de la dinámica de crecimiento impulsada por las tecnologías de la información y de las telecomunicaciones, en la anticipación de una significativa reducción de los costes de transacción de numerosas operaciones comerciales en la red y de no pocos procesos empresariales.

Los costes de creación de los sistemas operativos, de los distintos programas, y, desde luego, de una red como Internet, son ciertamente elevados, pero su valor es tanto mayor cuanto más numerosos son los compradores de los mismos, ya que su utilidad, la facilidad para comunicar e interactuar con los otros, aumenta con la extensión de la red. No otro es el fundamento de las ganancias de productividad asociadas a la innovación en este ámbito, al círculo virtuoso generado por la creciente «conectividad» que facilitan las plataformas en la red. Sobre esa base, una vez obtenida una masa crítica de usuarios, emergen nuevos productos y servicios que son dirigidos a una demanda global. Surgen también nuevos incentivos que dan lugar a nuevas formas de actividad empresarial, a través de modificaciones significativas en los procesos de producción y comercialización y, por supuesto, en la creación de esos grandes bazares y lonjas virtuales que posibilitan la extensión del comercio electrónico.

Cualquier mecanismo de comunicación, desde el teléfono a la televisión, es susceptible de conexión a esa nutrida red, facilitando el intercambio de información o la realización de transacciones comerciales, hasta hace poco difíciles de concebir a costes de utilización reducidos. La red que mayoritariamente conocemos y empleamos, a la que se accede mediante un navegador instalado en un ordenador personal, la que Bill Joy, responsable de investigación de Sun Microsystems, denomina «red de proximidad» *(Near Web)*, sólo comprende una parte del amplio universo de Internet. En una de sus interesantes columnas, Francis Pisani[19] nos trasladaba la advertencia de Bill Joy acerca de la extensión de esa red hacia la segunda red *(Here Web)*, basada en los móviles. Una promiscuidad de mecanismos y posibilidades técnicas, desde la extensión del ancho de banda a la conexión de los teléfonos móviles, que enriquece continuamente ese universo, ampliando la densidad de esa conectividad y haciendo lo propio con la generación de incentivos económicos a participar activamente en la misma.

Los ordenadores hablan directamente entre sí, y, como destacaba Thomas E. Webber[20], la conversación empieza a ser interesante. Esos vínculos directos, conocidos como conexiones «peer-to-peer», P2P (persona a persona, entre pares, entre iguales), son los que posibilitaron las redes de puesta en común e intercambio de archivos entre usuarios de ordenadores personales, como las utilizadas por Napster, Gnutella, Aimster o la plataforma de subastas eBay. Una tecnología cuyas nuevas posibilidades trascienden el intercambio más o menos libre de música, para posibilitar el contacto, la interlocución, el comercio directamente entre particulares. Esos vínculos constituyen la esencia de Internet, la manifestación diferencial más acusada en relación con el comercio tradicional. Un modelo que excede a la traslación a la red de los modelos de comercio tradicionales, que lleva a sus últimas consecuencias la personalización de los intercambios.

Más allá de las aplicaciones comerciales o de los intercambios de ficheros musicales, las tecnologías derivadas de la arquitectura P2P abre nuevas posibilidades a la organización del trabajo, y en consecuencia a la de las empresas, dotando de gran autonomía a los individuos, permitiendo colaborar *online* a los trabajadores cuando lo deseen, sin depender de personal especializado. Se abren posibilidades de cooperación espontánea que dejan lugar a la organización propia, a compartir áreas de trabajo, abrir discusiones o navegar conjuntamente en la red. Alternativas, en definitiva, que superan las configuraciones de los viejos sistemas computacionales, en cierta medida réplica de los igualmente jerarquizados sistemas de organización del trabajo y de toma de decisiones de la vieja economía.

Hasta ahora los sistemas de colaboración trabajaban manteniendo toda la información en un ordenador que actuaba como servidor central, verdadero intermediario en esa interlocución entre ordenadores. En los sistemas P2P, sin embargo, la información se almacena en los ordenadores de los usuarios, extendiéndose entre ellos en función de las necesidades, con las consiguientes ventajas en términos de flexibilidad y simplicidad frente a los sistemas basados en servidores centralizados: la interlocución es de igual a igual entre los ordenadores. En realidad esos sistemas superan los utilizados por el controvertido Napster, en tanto éste exige la utilización de un servidor central que actúa como un directorio; la vulnerabilidad del sistema de conexión es la del servidor central: si éste falla, la comunicación deja de existir. En definitiva, los ordenadores personales pueden jugar un papel más importante en la red del que creíamos hasta hace poco: pueden ser más autónomos. Son las primeras manifestaciones y las más visibles de esas nuevas formas de gestión de un recurso que es común a cualquier sector y proceso de la actividad económica: la información. No cabe dudar de su extensión, sólo hay razones para hacerlo del ritmo al que se manifestarán esas externalidades o efectos de red en los distintos sectores y mercados.

Cada día se imponen con más firmeza las razones que permiten hablar de «Economía de Internet»: un sistema que trasciende las posibilidades como un canal comercial alternativo para convertirse rápidamente en un sistema que extiende sus posibilidades a distintos ámbitos de la actividad empresarial, al tiempo que reduce los costes de esa ubicua conexión utilizando redes y tecnologías comunes. El *e-business* y el *e-commerce* forman parte de un mismo patrón de comportamiento con vocación de permanencia que proyecta sus consecuencias a distintos ámbitos de la actividad económica y, desde luego, en modo alguno se limitan a las empresas que han surgido con la emergencia de Internet, sino en mayor medida a las procedentes de la «vieja economía». En realidad, las compañías «puntocom» (aquellas que generan al menos el 95% de sus ingresos directamente en Internet) apenas alcanzan una pequeña parte, inferior al 10%, en la generación de ingresos de lo que se considera «la economía de Internet» en Estados Unidos[21].

La significación económica de esa explosión de la conectividad, su verdadero potencial transformador de las bases sobre las que se asienta la economía de la información, radica, como destacan Evans y Wurster[22], en la posibilidad de aislar la información de sus transmisiones físicas o formas de entrega tradicionales: de romper, en definitiva, esa disyuntiva o «trade-off» tradicional entre alcance y amplitud de la información, entre el número de agentes a los que se llega, por un lado, y la cantidad de información que se transmite, el grado de particularización de la misma en el receptor y la posible interactividad, por otro. Las posibilidades que ofrecen los nuevos estándares de comunicación basados en la red eliminan esa incompatibilidad entre alcance y amplitud vigente en la vieja economía. Las distintas posibilidades técnicas que permiten ensanchar la banda por la que se transmite información nos sorprenden día a día con nuevas ampliaciones de capacidad compatibles con la reducción del tiempo de transmisión. Al mismo tiempo, asistimos a la individualización de esa información, a su singularización en función del destinatario y al diálogo, a la ampliación de la interactividad con los receptores de la información.

Ya estamos observando el impacto de esa conciliación entre amplitud y alcance de la información en diversas áreas de la actividad empresarial, de forma muy especial en las comerciales (estrategias de marketing, la interlocución con clientes, potenciales o reales). Sin embargo, también se produce en otros ámbitos de las empresas, ya que, en sus formas de organización y de interlocución entre sus propios agentes, se ven obligadas a revisar su tradicional configuración como consecuencia de esas más amplias y completas formas de transmisión de la información, aprovechando las posibilidades de formación de grupos de trabajo con vínculos más estrechos, al tiempo que se modifican los esquemas más jerarquizados de transmisión de órdenes e información.

LA REINVENCIÓN DEL COMERCIO: LA LONJA DIGITAL

Si el fundamento del potencial transformador de las tecnologías de la información y las telecomunicaciones radica, en primer lugar, en la naturaleza diferencial de la información, las posibilidades asociadas a Internet, a las distintas redes, exceden a esa concepción inicial como «un sistema circulatorio de ideas» para constituirse en la infraestructura tecnológica fundamental de los sistemas de producción, distribución y comercialización de numerosas empresas. Procesos y productos son cada vez más intensivos en información, incluso en las empresas usuarias de tecnología no avanzada, condicionando funciones básicas como la investigación de mercados, la publicidad, la financiación y, desde luego, la logística: desafiando ese fatal corolario de la información deficiente que constituye la existencia de los inventarios. Esa convergencia entre logística y tecnología será evocada repetidamente como factor clave en la generación de ahorros de costes de diversa naturaleza y, desde luego, en el crecimiento del comercio electrónico.

La instrumentación de la propia información y su infraestructura, de las dos partes de la economía de la información, se hace, en efecto, más explícita en las posibilidades comerciales que ofrece: en su capacidad para constituirse en una gran lonja virtual, en la reinvención del comercio, ya sea en el tradicional entre las empresas y sus clientes minoristas finales (el denominado *business to consumer,* B2C) o entre las empresas y sus distintos proveedores *(business to business,* B2B). La extensión de la conectividad amplía exponencialmente las posibilidades para ofrecer productos y servicios a decenas de millones de consumidores casi instantáneamente a través de líneas telefónicas, redes de cable y comunicaciones inalámbricas, avanzando en la constitución de una comunidad electrónica en crecimiento. Ésta aprovecha dicha infraestructura para establecer mecanismos de interlocución que trascienden la realización de transacciones comerciales convencionales, para extenderlas a una gama de servicios cada día más amplia, desde los consultorios médicos a los servicios de búsqueda de empleo. La garantía de universalización de esa infraestructura es el descenso de los costes de transacción en relación a los canales tradicionales, incluidos los mecanismos electrónicos distintos de Internet que algunas empresas mantenían desde hace años con fines comerciales.

Las ventajas para los consumidores derivadas de esa nueva infraestructura comercial, la eliminación de barreras y fuentes de ineficiencia, la mayor transparencia y, por tanto, mayor competencia, constituyen el exponente más ilustrativo del potencial de transformación que incorporan esas nuevas tecnologías. Obligan a la definición de nuevos procesos y nuevos modelos de negocio que afectan no sólo a las compañías más directamente basadas en Internet, sino también a los tradicionales productores de bienes y servicios, extendiendo las posibilidades de reducción de costes, de mejora de servicios a los clientes y, en definitiva, de aumentos en la productividad susceptibles de traducirse en precios finales tanto más bajos cuanto más amplia sea la red por la que discurren los intercambios[23].

Lo significativo en este punto no es únicamente la disponibilidad de la propia información, ni siquiera la rapidez con que se accede a ella, o su coste relativamente reducido, sino la posibilidad de garantizar la atención de los agentes relevantes en las transacciones económicas, reduciendo aquella asimetría advertida por el premio Nobel de economía Herbert Simon[24], «la riqueza de información crea la pobreza de atención», que nos han recordado Shapiro y Varian[25] , y facilitando un encuentro comercialmente más eficaz entre oferentes y demandantes: una interlocución susceptible de ser individualizada entre vendedor y comprador, sobre la base de una mayor exposición y transparencia —del dominio de la «economía desnuda»— y de menores costes transaccionales. Es cierto, como han destacado Tapscott, Ticoll y Lowy[26] que la atención se ha convertido en un bien escaso, en una «commodity», en torno a la cual ha de girar cualquier estrategia comercial en el ciberespacio.

En la red los mercados están más cerca del ideal de eficiencia que los tradicionales. La información *online,* además de ampliar notablemente la transparencia, garantiza en mayor medida esa incorporación a los precios de toda la información considerada relevante, incluida la posibilidad efectiva de seguir de cerca al cliente observando su comportamiento. La personalización es la referencia a la que ahora pueden dirigirse las estrategias comerciales: personalización del producto y personalización del precio. Aunque, en principio, las políticas de discriminación de precios (la aplicación de precios distintos para el mismo producto o servicio en función de los grupos de demandantes) son de más complicada implantación con la resonancia informativa que permite la red, éstas pueden ser viables siempre y cuando se aproveche esa valiosa información derivada del seguimiento de la conducta de los consumidores para establecer la diferenciación necesaria. La red permite a los consumidores la detección de discrepancias en precios para un mismo bien o servicio y hacer lo propio con oportunidades especiales, pero por lo mismo posibilita la aplicación de políticas de precios dinámicos, ajustados a las circunstancias de cada cliente que permite esa interlocución particularizada con los clientes, esa posibilidad de adaptación a las preferencias individualizadas de los consumidores. Una aproximación a esa discriminación de precios de primer grado, considerada como la estrategia ideal de precios que, sin embargo, no está exenta de implicaciones adversas, como las derivadas del agravio a algunos clientes, a diferencia de lo que ocurre en el comercio convencional, de más fácil difusión[27].

La existencia de motores de búsqueda especializados en la comparación de precios en la red (los denominados «shopbots») debería reducir las posibilidades de precios distintos para un mismo bien o servicio, si no fuera porque también en la red los consumidores definen lealtades y preferencias por determinadas empresas o marcas y, en última instancia, la comparación efectiva ha de incorporar factores de coste adicionales al precio, como opciones de envío, impuestos, etc., que está lejos de automatizar completamente el contraste. Por la misma razón, los vendedores en la red también disponen de suficientes posibilidades para observar los precios de los restantes oferentes y procurar su alineación sin incurrir abiertamente en colusión. Es el caso de las aerolíneas, que han utilizado los sistemas de reservas en Internet para señalizar cambios en las tarifas entre ellas. Existen evidencias similares en el sector de las principales librerías (Amazon.com, Borders.com y Barnes&Noble.com), poniendo de manifiesto la existencia de precios virtualmente iguales para diversos productos objeto de seguimiento.

Ahora es posible individualizar los mensajes comerciales, materializar ese marketing personalizado («one-to-one marketing») y hacerlo verdaderamente interactivo, aumentando la información sobre el comportamiento de los consumidores y, con ello, el grado de aproximación de las condiciones de la oferta (incluido el diseño de los productos) a las preferencias de la demanda. Las posibilidades de diferenciación en función de las preferencias de cada uno de los grupos homogéneos de demandantes encuentra ahora vías de aplicación apenas concebidas hace pocos años. La cada vez más intensa tendencia a la «commoditization» tiene su referencia más paradigmática en aquellas plataformas en la red que permiten esa suerte de subastas en las que se especifica exactamente lo que quiere el cliente y el precio que está dispuesto a pagar, la más completa individualización del intercambio.

La conducta de los consumidores, por tanto, se convierte en el centro de atención más importante de cualquier estrategia de comercio electrónico. La captación del comportamiento se hace tanto más imprescindible para las empresas cuanto mayor es la versatilidad tecnológica y las posibilidades de que la lealtad tradicional de los clientes se vea precisamente cuestionada por esas mayores facilidades de migración, de elección entre las múltiples alternativas que la red ofrece. Avances tecnológicos y lealtad de los consumidores no van estrechamente asociados, al menos en algunos sectores, de los que el de servicios financieros es suficientemente representativo. En realidad, el más amplio acceso del consumidor a la información relevante en decisiones de compra de bienes y servicios modifica esa tradicional relación de poder, en muchos sectores favorable a los vendedores. Ahora es el consumidor el que se presenta como el principal beneficiario de la reducción en la asimetría informativa que determina la extensión de Internet; el análisis de sus preferencias, de sus reacciones, es tan importante que justifica esas inversiones en observadores de la red, equivalentes, como destacaba Brewster Kahle[28], a los circuitos cerrados de las tiendas que permiten identificar dónde se para la gente, qué le gusta, cómo reacciona, etc.

La duración de la relación entre comprador y vendedor y la amplitud de los bienes y servicios que vinculan a ambos son los dos factores críticos en la predicción de la conducta de los consumidores y en la determinación de la estrategia apropiada del *e-commerce:* por un lado la estabilidad, y por otro la búsqueda de bienes o servicios individuales o en conjunto (la posibilidad de llevar a cabo *one-stop shopping).* Las marcas, tan importantes en la vieja economía, exponen su potencial diferenciador a esa mayor capacidad y más rápida observación de los competidores que la red permite, amparando en menor medida que en el comercio tradicional la posibilidad de competir con precios relativamente más elevados que los que carecen de ella[29]. En realidad, el asentamiento de nuevas marcas en la red es más difícil, al menos más lento, que en el comercio tradicional, al igual que lo es mantener grados de fidelización equivalentes. Todo ello, lo hemos visto en los últimos años, a pesar de las importantes inversiones en publicidad y la oferta de distintas ventajas y promociones comerciales.

Esa mayor aproximación entre la oferta y la demanda, las mayores facilidades de conocimiento de las preferencias de los consumidores y la cada vez más completa definición de sus perfiles como clientes hacen posible reducir la incertidumbre en decisiones básicas de las empresas –desde el diseño de los productos y servicios hasta las cantidades a producir—, permitiendo su mayor y más rápido ajuste a la demanda y, con ello, la suavización de esas discontinuidades que están en el origen de los ciclos económicos. La información cobra una importancia de primer orden en la anticipación del comportamiento de los agentes económicos y las posibilidades que se ofrecen hoy en torno a la red nos acercan a esa utopía en la que los consumidores determinan exactamente lo que quieren, cómo y cuándo lo quieren. Las empresas han de procurar acceder a esa cada vez más valiosa información que les permita sustituir las hasta ahora meras aproximaciones a sus mercados por el historial individual de cada uno de sus clientes. Es razonable, por tanto, que al socaire de esta continua revalorización de la información surjan empresas especializadas en almacenar y depurar información sobre los consumidores, dispuestas incluso a pagar a los internautas por el suministro de datos relevantes para la completa configuración de su perfil como potenciales compradores.

También los propios clientes potenciales hacen uso de esa mayor y mejor disponibilidad de la información en sus decisiones de compra, valorando y contrastando de forma más eficaz que en el comercio tradicional: reforzando su soberanía. Distintas investigaciones del comportamiento de los consumidores en la red destacan precisamente esa posibilidad de captación de información y contraste de precios previos a la decisión de compra, hasta el punto de que se ha establecido en el entorno de los cuatro meses el periodo que media entre el acceso a la red y la realización de las primeras transacciones comerciales en ella. Los consumidores, cada día con mayor independencia de la magnitud de sus compras, apoyan sus decisiones de compra en revisiones previas de los productos que van a adquirir situadas en la red, como las proporcionadas por plataformas específicas. Una utilización cada vez más intensiva de la red para la captación de información, para la directa materialización de transacciones comerciales o para el intercambio de información entre los propios consumidores, incluidas las quejas y reclamaciones[30], que refuerza ese cambio de reglas, ese mayor poder de los consumidores en la nueva economía.

La presunción de que la extensión de las modalidades de comercio al por menor sería favorable para ambas partes, consumidores y empresarios, empieza a ser cuestionada por los primeros estudios empíricos, que ponen de manifiesto las ventajas claras obtenidas por los consumidores, pero no tanto las de las empresas, o en todo caso inferiores a las de aquéllos. Es el caso de algunos servicios financieros, en particular los seguros de vida, donde un estudio llevado a cabo entre diferentes familias en varios estados de Estados Unidos ha puesto de manifiesto la existencia de una estrecha correlación entre el uso habitual de Internet y el descenso de los precios de las primas de ese tipo de seguros. Por el contrario, los precios apenas variaban cuando no aparecían en la red. La atribución de esas diferencias a las posibilidades de contraste que ofrece Internet es contundente, extendiendo esa presión a la baja en los precios no sólo a los internautas, sino a sus más allegados, los vecinos en particular[31].

Cualquier empresa, con independencia de su dimensión, puede hacer uso de esas nuevas posibilidades comerciales, extendiendo su presencia a segmentos de mercado hasta ahora de difícil acceso; sin embargo, el que pueda tener esa presencia no significa que se traduzca en ventas suficientes. La red está demostrando un elevado grado de exigencia en información, en publicidad, especialmente para aquellas empresas que carecían de la imagen de marca suficiente. Los costes agrupados en el capítulo genérico de marketing en la red alcanzan un promedio equivalente al 40% de los ingresos por ventas en vendedores al por menor del tipo de la cadena de librerías Barnes and Noble.com, o en los más conocidos de eBay, eToys o Webvan.

A finales del año 2000 más del 50 % de los hogares estadounidenses disponía de ordenadores personales, sin embargo sólo el 34% mantenía conexión con Internet y casi el 20% realizaba regularmente compras en la red. Lo relevante, en todo caso, es que los conectados representaban más de las dos terceras partes de la capacidad de compra de todos los hogares estadounidenses, con adquisiciones que, según GartnerGroup, alcanzaron 30.000 millones de dólares en 2000, pero que llegarán a 143.000 millones en 2004. En Europa eran 58 millones los usuarios de Internet al término de 2000, desde los 42,5 millones un año antes, con compras en la red que han pasado de 2.900 millones de euros a 8.500 millones, un crecimiento ciertamente significativo, pero que sigue representando una parte reducida de todas las ventas al por menor, inferior al 0,5%, a pesar de que el 20% de los conectados en Europa realizan compras en la red.

Un estudio divulgado a finales de 2000 en el *European Retail Bulletin,* del que se hacía eco Norma Cohen[32], concluía, tras examinar las conductas de compra en diecisiete países europeos, que el gasto por compras en Internet podría crecer a un promedio del 53% anual hasta el año 2005. Era en los países nórdicos, donde la penetración de la red está acompañada de niveles de renta relativamente elevados (en Noruega y Suecia más del 40% de la población tiene acceso habitual a Internet), donde el gasto alcanzaría una mayor importancia, alrededor de 300 euros por habitante en el año 2005, frente a los 50 euros correspondientes a España, Grecia y Portugal. Los resultados de la campaña de Navidad del año 2000, aun cuando la demanda de las familias en la mayoría de las economías europeas ya estaba inmersa en una senda desaceleradora, confirmó las previsiones de los más optimistas respecto a la canalización *online* de una proporción creciente, aunque todavía muy reducida, de las ventas de bienes de consumo. También pone de relieve el uso creciente de Internet como mecanismo de información, de contraste, previo a la realización de las compras; una integración entre la red y su exterior más evidente en aquellos países con horarios y regulaciones comerciales más rígidos.

Ordenadores y material informático, viajes aéreos, libros, discos y entradas para espectáculos, servicios médicos, de búsqueda de trabajo, incluso productos farmacéuticos, etc., conforman hoy las principales transacciones en el comercio minorista (B2C), el realizado entre empresas (las denominadas *e-tailers)* y los consumidores individuales. Sin embargo, están dejando de ser testimoniales las ventas de automóviles o incluso las de otros bienes menos susceptibles de estandarización como determinadas obras de arte y, desde luego, toda una amplia gama de servicios. La red facilita las formas tradicionales de venta, las hace más intensivas en información, menos vulnerables; en cambio, también propicia formas nuevas de comercialización para bienes y, sobre todo, servicios inexistentes en la economía tradicional. Facilita igualmente la puesta en común de conocimientos y habilidades para los que hasta ahora no existía un mercado propiamente dicho.

Para la generación de las ventajas enunciadas, la colaboración de la logística es básica. De poco sirve la capacidad de acceso a esas plataformas de contratación, la obtención de las ganancias específicas que ese encuentro comercial depara, si la distribución de las mercancías objeto de los intercambios no se adecua suficientemente a las exigencias de ese tipo de comercio. Es cierto, como reza el lema comercial de alguna empresa de distribución, que «lo único que no se desmaterializa es el paquete» y éste, puede añadirse, ha de acertar a encontrarse con el cliente sorteando las dificultades que presentan los grandes núcleos urbanos. La ventaja que supone la ampliación de la variedad de productos objeto de transacción en Internet se constituye en una restricción para la distribución, desde la preparación de los pedidos a la entrega final. A diferencia de lo que ocurre en el comercio convencional, en el electrónico el consumidor no participa directamente en la distribución, en el transporte del producto al domicilio. La dificultad para generar economías de escala, para sortear las restricciones al tráfico de mercancías en las ciudades con elevados grados de congestión, encarecen los procesos de distribución, en algunos casos hasta llegar a compensar las evidentes ganancias de eficiencia generadas en las plataformas de B2C. Todo ello obliga a buscar alternativas a la distribución tradicional, simplificadoras como los *dropping points* (recogida de las compras en aparcamientos, gasolineras, centros de trabajo, etc.) y los *dropping boxes* (buzones especiales), el reparto en horas de menor tráfico o la aparición de operadores logísticos alternativos a los tradicionales, especializados en barrios concretos, entre otras. Cambios inducidos que, una vez más, ponen de manifiesto el potencial transformador de esa nueva economía sobre actividades que exceden a las más inmediatas derivadas de ese aumento en la conectividad.

Un encuentro que en la actualidad no dispone de facilidades suficientes (ya sea en la configuración de las empresas de distribución o en las restricciones espaciales) para que ese comercio sea hegemónico, llegando a desplazar el de carácter presencial y la correspondiente transmisión física por quienes realizan las compras. Europa, y desde luego la práctica totalidad de los países en desarrollo, adolecen de sistemas de distribución y logística (tratamiento de pedidos, gestión de existencias, coordinación con proveedores, etc.) compatibles con la rápida consolidación de los sistemas de comercio B2C, similares a los desarrollados en Estados Unidos. Obstáculos cuya causa principal es la insuficiencia de inversión, basada en el todavía escaso desarrollo de las transacciones comerciales en la red y en la parquedad de los beneficios que aportan. La conjunción de esfuerzos, las alianzas, entre las principales partes implicadas, fundamentalmente entre proveedores de sistemas informáticos, de gestión del almacenamiento y distribuidores, vuelve a presentarse como la vía de solución para el estrechamiento de esas aún significativas diferencias en la extensión del comercio minorista *online* entre los dos bloques económicos más importantes. Mientras tanto, el comercio tradicional coexistirá con un desplazamiento gradual, pero irreversible, hacia la red; *bricks* y *clics* habrán de convivir, pero con un mayor grado de determinación de las configuraciones digitales sobre el conjunto. Los grandes almacenes, las tiendas más tradicionales, que sin embargo mantienen su vocación de permanencia, están ahora obligadas a considerar ese equilibrio como la principal pieza de sus estrategias.

Si las inversiones técnicas pueden ser cada vez menos costosas, la experiencia ha puesto de manifiesto el papel central del marketing en esos modelos de B2C, con el fin de asegurarse una suficiente base de clientes, dadas las menores barreras de entrada y, en consecuencia, la mayor multiplicidad de oferentes. La atracción de los consumidores, su fidelización y la construcción de la marca son factores si cabe más importantes en la red de lo que ya lo eran en el comercio tradicional. Las inversiones en hacerse con un nombre han demostrado ser más cuantiosas de lo previsto por muchas empresas que creyeron que la superación con éxito de la correspondiente oferta de acciones era equivalente a asegurar su viabilidad definitiva. Como era previsible, la fidelidad de los clientes ha demostrado ser mucho menor en la red que en los negocios convencionales; el mayor poder de los consumidores que posibilita la red tiene sus contrapartidas.

En 1994 se situó el primer anuncio en la red *(banner)*. Comerciar en la red requiere considerables inversiones en publicidad, pero también la red se está revelando como un crítico soporte para la publicidad del que no puede prescindir quien quiera seguir vendiendo en los establecimientos tradicionales. Un número cada vez mayor de compañías conciben la red no solamente como un soporte de mensajes publicitarios convencionales, sino como el medio a través del cual construir una marca virtual, elaborando sitios en los que se proporciona información o entretenimiento al público objetivo. El gasto de publicidad en la red de Unilever en 2000 superó los 144 millones de dólares, el 4% del presupuesto total de publicidad. Volvo (el 85% de cuyos clientes están conectados a la red, según la propia compañía) decidía en octubre de 2000 introducir uno de sus nuevos modelos exclusivamente a través de la red, mediante una campaña multimillonaria en asociación con AOL que incluía múltiples mecanismos de promoción, todos ellos *online*; en apenas tres meses, alrededor de 21.000 potenciales clientes habían enviado sus propias configuraciones de los coches, al tiempo que preguntaban por precios, vendiendo 3.000 unidades. Visa gastó más de 10 millones de dólares en publicidad en la red durante 2000. Pepsi Cola invirtió el 3% de su presupuesto de publicidad, estimado en el año 2000 en 400 millones de dólares.

Todavía es manifiesta la dificultad de evaluar su impacto, al tiempo que los anunciantes ensayan con las distintas posibilidades que ofrece la red. Parecen algo exageradas las estimaciones que, apenas mediado el año 2000, situaban el gasto de Estados Unidos en publicidad en la red entre el 5% y el 20% del total, al tiempo que los precios de las inserciones empiezan a ser tributarios del crecimiento de las plataformas, de los portales y de la desigual suerte con que cada uno de ellos ha sido tratado en la crisis bursátil a partir de marzo de 2000. Esa purga y la desaceleración de la demanda de consumo en la generalidad de las economías industrializadas sólo supuso en Estados Unidos la estabilización de los ingresos por ese concepto. En el último trimestre de 2000 siguieron creciendo los ingresos por todas las formas de publicidad y marketing, aunque a menor ritmo que en 1999. Aun así, en ese año, en Estados Unidos se invirtió un promedio superior a 2.200 millones de dólares trimestrales. Desde luego, Yahoo! fue el principal beneficiario de los mismos.

Cibersubastas

Una de las formas más antiguas de organización de los intercambios y una referencia básica en la comprensión de la formación de precios, la subasta, ha recibido en la red una proyección difícil de imaginar hace pocos años. Existen testimonios de la subasta en algunos escritos de Herodoto, en el año 500 antes de Cristo, aunque son los romanos los que hacen un uso más extensivo de esta ahora renovada modalidad de intercambio. No había expedición militar que se preciara que no incorporara comerciantes especializados dispuestos a pujar por los expolios de la guerra bajo la señalización de los soldados *sub hasta,* bajo la lanza, ya que la venta del botín de guerra se anunciaba con una lanza. Su funcionamiento sirvió para que el economista del siglo XIX Leon Walras formulara algunas hipótesis centrales en su teoría de los precios de equilibrio.

En Internet, los antecedentes no nos remiten más allá de 1995, cuando Pierre Omidyar creó eBay, la primera empresa dedicada exclusivamente a realizar subastas en la red, y todavía hoy la más exitosa. A partir de entonces, han sido diversas las que han tratado de aprovechar las escasas barreras de entrada a lo que, en principio, parece un sistema de intercambio adecuado a las posibilidades que ofrece Internet, y diariamente son miles de subastas las que tienen lugar con oferentes y demandantes en número suficiente como para que no sea fácil el ejercicio de poder de mercado. La emergencia de empresas especializadas en sectores o bienes específicos también ha dado lugar a variaciones en los requerimientos de acceso a las subastas y, en general, en las modalidades en que se concretan y formalizan las transacciones. Normalmente, el vendedor fija el precio inicial de venta y otro precio de reserva, al que no tiene acceso el posible comprador, pero que aparece como umbral a superar para que la transacción tenga lugar; también fija el plazo durante el que está abierta la subasta, la forma de cobro y su pretensión sobre quién ha de soportar los distintos gastos, el transporte del bien incluido. Por último, el vendedor ha de abonar un porcentaje de lo obtenido, normalmente el 5%, a la empresa que mantiene la subasta en la red.

En la modalidad que opera la plataforma de subastas eBay, los individuos listan los artículos que tratan de vender y el intercambio y la contraprestación tienen lugar directamente entre los participantes; es el prototipo del modelo P2P, comentado en páginas anteriores. De igual forma que Napster proporciona un directorio central de archivos que permite a los particulares intercambiar canciones, eBay hace lo propio con mercancías. Cada uno de los miembros de la red puede actuar indistintamente como un distribuidor o como un consumidor. Lo único que proporciona eBay (aunque no poco importante) es una plataforma tecnológica que permite a los individuos conectarse entre sí, cobrando por cada transacción que en la misma se lleva a cabo. A pesar de las reducidas barreras de entrada, la capacidad para generar economías de escala, ya sea a través del eficaz funcionamiento de su infraestructura, de su fácil acceso, o mediante la generación de servicios complementarios que favorezcan el encuentro de un amplio número de compradores y vendedores, ha convertido a esta empresa en el más próspero negocio en la red.

Con independencia de las anomalías todavía frecuentes en algunas de esas plataformas, su previsible extensión dice mucho acerca de esas nuevas realidades comerciales que se abren en la red y de la posibilidad de generalizar el intercambio, más allá de los mercados organizados tradicionalmente. De este modo, sorteando los mediadores convencionales, se propiciaría la adaptación de la oferta a la demanda sobre una base amplia, que tiende a ser verdaderamente global. Un paso importante en esa personalización de la oferta (de los productos o servicios y de los precios), que podría conducir a la desaparición de los catálogos, de las listas estandarizadas de precios, que están siendo asumidas gradualmente por empresas con extracciones sectoriales tan distintas como las comercializadoras de vinos o las aerolíneas, en aras de aproximarse a esa referencia ideal constituida por la gestión en tiempo real de sus inventarios. Subastas de pasajes en determinados vuelos, en el «último minuto», y de otros servicios o productos, ya sea con el fin de realizar esos ajustes de inventarios, de promocionar determinadas líneas de producción o de evaluar las reacciones de los demandantes a determinadas variaciones en las condiciones básicas de la oferta. Diversas estimaciones sitúan en más de 5.000 millones de dólares las compras que se realizaron en el año 2000 mediante subastas en la red, pero esa cifra no es por sí sola suficientemente prometedora de crecimientos futuros, como bien ilustra Hof[33], a menos que se registren mejoras en los sistemas de información y contratación.

Ese encuentro anónimo entre compradores y vendedores también advierte de implicaciones menos satisfactorias, como las derivadas de transacciones de cuestionable legalidad o, cuando menos, éticamente reprochables. En alguna de las múltiples plataformas de subastas en la red es posible encontrar la oferta de riñones humanos, huesos de judíos, animales vivos, drogas o la más divulgada de productos nazis, de difícil localización en otros mercados presenciales. Aunque las empresas que facilitan esos intercambios recogen una lista con productos prohibidos (alcohol, tabaco, objetos robados, billetes de lotería, etc.) y declaran formalmente perseguir aquellas transacciones en las que el objeto de intercambio es ilegal o éticamente cuestionable, su proliferación es un hecho, frente al que los sistemas de filtro y de control al uso poco pueden hacer, excepto en todo caso el rechazo de los propios internautas. Las leyes nacionales, también en este ámbito, han demostrado ser poco efectivas: los mercados en la red exhiben cada día con más elocuencia su carácter apátrida. Sólo una autoridad igual de global podrá abordar esa necesaria regulación, compatible con las ganancias de eficiencia que exhiben esos mercados virtuales.

Si la presión competitiva es una clara ventaja de estos sistemas, el debilitamiento de las relaciones con los suministradores se presenta como la implicación más adversa, pudiendo llegar a determinar una eliminación de la pluralidad de los proveedores que, a medio y largo plazo, puede derivar en situaciones contrarias a las pretendidas inicialmente. Para los vendedores, la ventaja del acceso a una base más amplia de clientes sin excesivos costes adicionales de comercialización puede quedar más que compensada por las intensas presiones en precios, única variable relevante en última instancia en esas plataformas de contratación. La importancia relativa que se le asigne a otros factores en las decisiones de aprovisionamiento, desde la calidad, plazos de entrega y ajuste a las necesidades específicas de los clientes, puede llegar a condicionar la extensión de esas plataformas de contratación en las que todavía el precio es la variable más importante. Consideraciones que son comunes a todas la modalidades de comercio electrónico y, en particular, a las realizadas entre empresas, que se abordan a continuación.

B2B: COMERCIO ENTRE EMPRESAS

El poder que subyace detrás de esa revolución en el comercio no radica únicamente en la capacidad de Internet para facilitar la interlocución de la empresa con sus clientes y conectar con grandes grupos dispersos geográficamente, sino también en su potencial para convertirse en una especie de sistema central de computación dirigido a conjuntos homogéneos de industrias, permitiendo a las empresas la verificación instantánea de los inventarios o la realización de compras a gran escala, a velocidad y eficiencia digital. Las bases de datos en esos sectores, así como la organización de la información acerca de sus precios, especificaciones y disponibilidad, pueden ser fácilmente reconocibles y manejables, situándolos instantáneamente en la red.

Sin necesidad de grandes inversiones, ni de la disposición de redes en propiedad, todo tipo de empresas pueden acceder a esas plataformas homogéneas de contratación, de configuración próxima a un mercado libre y perfecto. Las empresas más prudentes inician la migración a esos *marketplaces* de forma gradual, primero con abastecimientos no directamente vinculados a la producción (las compras de mantenimiento y reparaciones o de material administrativo, por ejemplo), para ir transfiriendo ese aprendizaje a los ámbitos centrales del negocio, desde las propias cadenas de suministro a las estrategias de marketing. Algunos de los efectos de ese comercio entre empresas *(business to business,* B2B) ya se perciben en industrias en las que los componentes y suministros tienen un elevado grado de estandarización (productos básicos de oficina, componentes electrónicos y mecánicos, productos de laboratorio y médicos). Los componentes electrónicos siguen manteniendo la vanguardia del B2B; las decenas de miles de partes que se incorporan en casi todas las modalidades de computadoras son, en gran medida y cada día más, intercambiables, y los productores primarios de componentes son muy competitivos, facilitando esa configuración *online* de un amplio mercado primario de componentes en esta industria, abocada al igual que la de sus productos finales a desplazar en importancia a las transacciones convencionales.

La utilización de Internet también exhibe ventajas importantes en procesos que van más allá de las transacciones comerciales. Cisco ha sido una de las empresas que de forma más consistente ha asumido la red como mecanismo de transformación de la práctica totalidad de los aspectos de la gestión empresarial. Del uso intensivo de la red, desde el control de inventarios al reclutamiento de personal o la información financiera, se ha derivado un ahorro anual superior a los 800 millones de dólares. El 90% de sus ingresos son generados a través de la red, lo que la convierte en la mayor compañía del mundo en comercio electrónico, además de apoyar esos márgenes relativamente elevados que mantiene. Los ahorros también proceden del uso de Internet en los servicios de apoyo a los clientes; a finales de 2000, por cada 1.000 millones de dólares de facturación tenía un 80% menos de empleados de apoyo que algunos de sus principales competidores, como Lucent o Nortel.

En el sector del automóvil, uno de los más representativos de la economía tradicional, caracterizado por una competencia tan intensa que no deja de cuestionar día tras día la propia composición del censo de productores, el desarrollo de aplicaciones en torno a la red está determinando cambios estratégicos de gran alcance que convergen en torno a una cada día más explícita colaboración dentro del sector, al menos entre los grandes productores. Este sector siempre ha sido receptivo a la incorporación de innovaciones tendentes a racionalizar y abaratar las distintas fases de los procesos de producción. Desde hace décadas, su grado de informatización no ha dejado de aumentar, generando mejoras explícitas en los procesos de diseño, en los plazos de fabricación y, en general, en la reducción de costes. La configuración de un mercado de abastecimientos en la red es la última de las decisiones en esa misma dirección. El primer paso lo dieron las tres grandes multinacionales, General Motors, Ford y Daimler Chrysler al constituir un portal vertical, el mayor mercado *online* para satisfacer sus necesidades de abastecimiento. Realizarán transacciones por más de 500.000 millones de dólares anuales en componentes comunes, generando ahorros no inferiores a 6.000 millones de dólares. El éxito del proyecto ha terminado de convencer a Renault y a Nissan de la incorporación a Convisint, denominación de esa gigantesca plataforma de contratación, creada en febrero de 2000. Las ganancias de eficiencia en que se confía no serán las generadas únicamente en la función de abastecimiento de un sector con la demanda de aprovisionamiento muy concentrada en unos pocos fabricantes y la oferta dispersa en torno a miles de proveedores (un automóvil típico está compuesto por más de 20.000 partes, suministradas por más de 200 proveedores), sino también como una herramienta para suministradores y productores de integración de actividades en áreas tan importantes en esa industria como el diseño, la planificación de la producción o el desarrollo de productos, cuya extensión configuraría ese nuevo ámbito de cooperación en la red, el E2E *(engineer to engineer)*. Una iniciativa que sitúa las políticas de cooperación empresarial en el centro de las formas de crecimiento, superando viejas rivalidades, (menos relevantes en la ubicación competitiva de las empresas), contribuyendo a esa difícil pretensión de reducción de los precios finales sin la definitiva liquidación de sus oferentes[34].

Seguimos en la economía tradicional. Uno de los más antiguos y tradicionales sectores industriales de Europa, el de alimentación, se disponía también en el verano de 2000 a instalarse en la red, liderado por Nestlé, el mayor grupo de alimentación del mundo. Su principal ejecutivo, Peter Brabeck-Letmathe, anticipaba la inversión en 1.800 millones de dólares hasta 2003, lo que originará una verdadera *e-revolución* en esa empresa centenaria: su reinvención como compañía, modificando aspectos básicos no sólo de su cadena de aprovisionamiento, sino igualmente de sus sistemas de distribución, con el fin de aproximar sus márgenes a los más holgados de sus principales competidores, como H. J. Heinz, Cadbury o Procter & Gamble [35]. Desde julio de 2000, en Estados Unidos las tiendas pueden ordenar sus pedidos de gran parte de esos productos directamente a la dirección en la red de la compañía. Se inicia así la eliminación de más de 100.000 llamadas telefónicas o envíos de fax que anualmente se producen desde los principales puntos de venta; el ahorro de costes se extiende al procesamiento de esos pedidos y se evitarán numerosos errores. En la misma plataforma electrónica comercial, el «portal vertical» denominado CPGMarket.com, coexistirán competidores de toda la vida como la venerada y conservadora chocolatera suiza y la francesa Danone, la fabricante de detergentes alemana Henkel y otras que probablemente acudirán al socaire de la importante masa crítica de compradores de productos relacionados con el consumo del hogar, compartiendo su capacidad de compra, con el fin de reducir costes de aprovisionamiento y de administración, desde material de oficina y material de embalaje a las materias primas propias de la industria.

A principios del año 2000, nueve aerolíneas creaban una plataforma específica con pretensiones de extender su capacidad de compra a la casi totalidad de sus suministros comunes, incluidos carburantes y catering, rivalizando con Aeroxchange, cuyos fundadores son Japan Airlines, Lufthansa, Singapore Airlines y Cathay Pacific. Meses después la primera plataforma se unía a MyAircraft, el mercado en el que operaban las tres principales empresas oferentes de la industria aerospacial (United Technologies, Honeywell International y BFGoodrich), con una capacidad de compra combinada superior a 75.000 millones de dólares.

En el sector del comercio, algunos de los grandes mayoristas, la francesa Carrefour, la estadounidense Sears, J. Sainsbury del Reino Unido y otras cinco han creado GlobalNetXchange (GNX) para gestionar abastecimientos comunes, al igual que lo hacen el sector químico, o la industria aeroespacial y de defensa, cuyos gigantes Boeing, Lockheed Martin, Raytheon y BAE gastan en conjunto 71.000 millones de dólares al año en la compra de bienes y servicios a más de 37.000 suministradores.

Los bienes perecederos, carnes y pescados, a pesar de la atomización de sus productores, empiezan a beneficiarse de la digitalización creciente de sus intercambios. La rapidez constituye en esos sectores una exigencia básica. La Organización de Naciones Unidas para la Agricultura y la Alimentación (FAO) ha destacado algunas de las ventajas para el sector pesquero derivadas del análisis de varios mercados digitales ya existentes (Fishauction, Pefa.com, Globalfoodexchange, Atuna.com o la gallega World Fish Site, entre otras), algunos de los cuales funcionan a modo de subastas. La fragmentación y la complejidad de la oferta, la desigualdad en el número y en el tamaño de los oferentes y los demandantes, además del evidente atractivo que constituye el ahorro de costes transaccionales, de almacenamiento y refrigeración, y la expansión geográfica del comercio en estos bienes propicia la constitución de plataformas específicas en la red. La transición desde procedimientos de contratación tradicionales a la red se inició a través de las subastas diarias ante los consumidores finales, para después ir configurando esas plataformas B2B.

En conjunto, en el primer trimestre de 2001 se habían creado más de un millar de mercados específicos, especializados en sectores concretos, con una extensión a numerosas industrias, que cuestionaban con celeridad las prácticas comerciales y las políticas de abastecimiento tradicionales. La reducción de costes de transacción, de administración, el mejor y más amplio acceso a la información sobre productos y precios, además de la generación de economías derivadas de la puesta en común de esas compras, de manejo de bases de datos, etc., son fuentes de generación de eficiencia que renuevan o aumentan la viabilidad de numerosas empresas. Poco importa, como se ve, que las compañías que comparten plataforma electrónica sean competidoras: lo relevante en esa vinculación es el ahorro de costes y otras ganancias específicas de eficiencia, aun cuando ello suponga la redefinición de esas relaciones tradicionales, preservando, claro está, la debida confidencialidad respecto a las decisiones o a los *stocks* de cada una de las empresas participantes en el mercado. La puesta en común de la inversión asociada a la disposición de las tecnologías de esas plataformas, del escaso personal especializado para gobernarlas, no implica hacerlo con la información de los participantes individuales, mientras que es posible compartir los riesgos técnicos y financieros asociados a una actividad, en cierta forma inmadura, en permanente cambio.

Ese inusual encuentro entre la competencia y la cooperación impuesto por la dependencia común de sistemas e infraestructuras específicas es propio de la economía basada en la red, de la necesidad de asumir estándares y protocolos comunes, abiertos, frente a la opción más arriesgada o costosa asociada a la creación de estándares alternativos. Esa tensión, propia de las industrias de red, la naturaleza estratégica de la elección que plantea, ya fue suscitada en ámbitos más amplios por Brandenburger y Nalebuff [36], acuñadores del término «Co-opetition», al que la extensión de Internet proporciona ya numerosos casos ilustrativos. Alianzas no sólo como las ya observadas en los mercados digitales, de carácter vertical, sino también entre empresas de distintos sectores, de las que son exponentes las concretadas entre las de telecomunicaciones o los más importantes portales y las compañías financieras, fundamentalmente bancos.

Una modificación de alcance, en definitiva, sobre las cadenas de valor de las empresas, la asociada a esa automatización de las decisiones de abastecimiento y la mejor gestión de los inventarios, cuya significación económica es difícil pasar por alto. Al eliminar intermediarios y estimular la competencia entre los suministradores, se reducen los costes de producción, con el consiguiente impacto favorable sobre la variación de los precios y el crecimiento económico. Implicaciones que han sido asimiladas a un *shock* de oferta positivo equivalente cuantitativamente (pero lógicamente inverso) al del incremento en los precios del petróleo en los años setenta, impulsando a largo plazo el crecimiento del PIB en un 5% en los principales países industrializados, un 0,25% anual a lo largo de los próximos diez años. Ésas eran las aventuradas estimaciones de un informe de Goldman Sachs [37], en el que se anticipa además que el volumen de transacciones en el comercio B2B crecerá desde los 39.000 millones de dólares registrados en 1998 hasta 1,5 billones en 2004. A lo largo del mismo periodo, la proporción de transacciones que tendrán lugar en la red aumentará desde menos del 1% al 10%. En ese mismo informe se sostiene que habrá ahorros hasta de un 40% en la compra de bienes y materias primas, con el consiguiente impacto sobre la reducción de precios y el crecimiento económico. En realidad, el impacto neto de la generalización del B2B será más evidente, según dicho análisis, en el crecimiento económico, en la medida en que sus efectos desinflacionarios procurarán políticas monetarias menos agresivas, con tipos de interés más bajos. La consultora Forrester es todavía más optimista, al anticipar que en los dos primeros años del siglo XXI más del 90% de las empresas estadounidenses que venden bienes a otras compañías llevarán a cabo sus transacciones en la web, frente a algo más de la mitad que lo hacían en el año 2000. Las ventas *online* entre empresas alcanzarán 2,7 billones de dólares en 2004, casi siete veces las ventas esperadas para 2000, de 406.200 millones de dólares. Más del 10% de las compras del sector construcción y del 12% de alimentación serán *online* en 2004.

Paralelamente a ese previsible aumento en el volumen transaccional de los mercados B2B, asistiremos a una concentración de esas todavía fragmentadas plataformas, impulsada por la búsqueda de economías de escala a la que conducirá el igualmente previsible descenso de los costes transaccionales. La consolidación en torno a unos pocos *mega-exchanges*, con funciones que excedan a la mera ejecución de transacciones, permitiendo la puesta en común entre los distintos participantes de facilidades de comunicación, de administración, facturación y pagos automáticos, e incluso la estrecha vinculación de los procesos de producción de compradores y vendedores. Una dirección ya iniciada por Convisint, la plataforma comentada de los grandes fabricantes de automóviles, que en aras de esa necesaria ampliación ha abierto su estructura de capital no sólo a otros competidores, sino también a proveedores [38]. Esa tendencia a la creación por las grandes empresas de sus propios *marketplaces,* ya sea en consorcios con otras del sector o en plataformas propias (la irrupción de empresas de la vieja economía en las plataformas de la nueva), es uno de los factores más importantes en la depreciación de las acciones de aquellas empresas independientes, genuinamente adscritas a la nueva economía, que nacieron con la vocación de que sus plataformas tecnológicas aglutinaran a diversos sectores, desde el papel al automóvil, pasando por la industria aerospacial o la de la salud. Junto a esas dos modalidades de plataformas —las públicas o independientes y las formadas por empresas de un mismo sector—, la aspiración a incorporar todas las ventajas derivadas de estas plataformas transaccionales, y la no menos relevante a controlar la información en torno a las mismas, explica la creación de *marketplaces* privados, pertenecientes a una sola empresa. Con todo, las tres modalidades no son necesariamente excluyentes. Las empresas utilizarán unos u otros (ya lo están haciendo) dependiendo del tipo de transacciones o de agentes con los que las mismas se lleven a cabo. Una versatilidad que favorecerá el crecimiento de los intercambios en la red, avalando previsiones como las de la consultora Boston Consulting Group, que anticipa para el año 2004 que una de cada tres transacciones entre empresas será realizada *online* en Estados Unidos y una de cada cinco en Europa. Anticipación no muy distinta a la que en mayo de 2000 daba a conocer *AMR Research:* 5,7 billones de dólares será el montante de transacciones B2B en Estados Unidos en 2004, equivalente al 29% del valor total en dólares de las transacciones comerciales entre empresas.

La experiencia que puede deducirse del rodaje de esas plataformas de contratación en la red destaca que su completo aprovechamiento por las empresas que las emplean exige algo más que la adopción de la tecnología adecuada. Las empresas necesitan igualmente llevar a cabo los cambios organizativos en sus estructuras y procesos que posibiliten su optimización: la explotación de las ventajas en términos de rapidez y transparencia que esas plataformas permiten. Una transición que requiere alteraciones en la propia cultura organizacional, que incorporen nuevos tipos de relaciones con clientes y proveedores y la disposición a modificar procesos internos en ocasiones excesivamente arraigados, incluidos los que conducen a las decisiones de mayor alcance.

Es en el sector público donde el potencial del comercio electrónico a gran escala pueda generar mayores ahorros. En el conjunto de la Unión Europea (las compras públicas realizadas por más de 400.000 instituciones contratantes representan más del 11% del PIB), la extensión de las posibilidades de contratación transfronteriza a través de la red, la correspondiente mejora en la transparencia y apertura de los diversos procedimientos de contratación, constituiría un apoyo significativo al perfeccionamiento del mercado único, además de esa más inmediata fuente de reducción de costes. La tendencia de la mayoría de los gobiernos a favorecer a compañías locales, las diferencias de precios para los mismos bienes y servicios en distintas economías siguen denunciando esa insuficiente convergencia en un ámbito esencialmente dependiente de la voluntad política. Dos objetivos básicos en la dinámica de perfeccionamiento de la integración europea, la aceleración de la transición a la nueva economía y la homogeneización del espacio económico, además de la generalización de la moneda única, encontrarían en la adopción de una plataforma común de contratación electrónica un valioso instrumento. Hasta ahora, esos intentos no han pasado de la traslación a la red del *Diario Oficial de la Unión Europea,* en el que se reflejan esas ofertas de contratación, y la anterior del Système d'Information pour les Marchés Publics (Simap), de cuestionable eficacia hasta el momento, a juzgar por la proliferación de compañías especializadas, de «infomediarios», en adecuar esa información a las preferencias de los demandantes.

La extensión de estas modalidades de comercio entre empresas se enfrenta a obstáculos de diversa naturaleza, unos limitativos de las ventajas para las diversas categorías de partícipes en las mismas y otros con efectos más directos sobre los suministradores. Del primer tipo son los derivados de la visibilidad y seguridad de las transacciones en esas plataformas; del segundo son aquellos que pueden acabar vulnerando la libre competencia, reforzando posiciones de poder de mercado o dando lugar a la emergencia de nuevas situaciones de privilegio.

La identificación de vendedor y comprador en cada transacción, la valoración de su riesgo, son condiciones básicas para un comercio seguro. Algunas iniciativas, como el sistema creado por el grupo francés COFACE, se destinan a paliar insuficiencias y anomalías en este ámbito. Un sistema de calificación crediticia o *rating* de cada una de las empresas aspirantes a contratar basado en el análisis de su historia empresarial. Como parte de su actividad tradicional de concesión de garantías a la exportación (del que se ha derivado el acceso a una amplia población de empresas en numerosos países), también asegura la cobertura de las transacciones. Otro sistema con similares propósitos en el comercio B2B es Virtual Market Cover, desarrollado conjuntamente por la compañía de seguros estadounidense CNA, el suministrador de tarjetas Gemplus y TradeCard, el procesador de transacciones en la red en B2B lanzado en once países de Europa, Asia y América y extendido a ochenta países a finales de 2000.

El desarrollo de estos sistemas de información y suministro de calificaciones crediticias será tanto más importante cuanto mayor sea el comercio internacional en la red. Un informe de Forrester Research publicado en noviembre de 2000 estimaba en 1,4 billones de dólares las exportaciones en el año 2004. Europa occidental, con 692.000 millones de dólares de exportaciones, será el principal bloque en el comercio internacional *online;* Estados Unidos, con 210.000 millones, y Japón, con 57.000 millones, completarán ese grupo de principales actores en unos flujos que se estiman no dejen de extenderse a otros países. La consultora diferencia dos grupos de países, los *e-business* «introvertidos» y los *e-business* «extrovertidos», según su grado de apertura al comercio internacional en la red, situando a la cabeza del segundo grupo a Canadá, Noruega y Dinamarca, por la importancia relativa sobre sus intercambios exteriores totales.

El otro grupo de posibles problemas derivados de la extensión de este tipo de comercio tiene que ver con las amenazas a la competencia y a la capacidad negociadora derivadas de una excesiva concentración de la capacidad de compra en algunas plataformas. Aunque las ventajas para los suministradores también son evidentes (en términos de ahorro de costes de venta, de transacción y de acceso a mercados más amplios), éstas pueden verse significativamente mitigadas dependiendo del grado de concentración y de la dimensión de los demandantes. El calificativo de neutral con que algunos de esos mercados se exhiben no significa necesariamente que el poder de negociación sea equivalente entre compradores y vendedores. Las lonjas virtuales no replican la totalidad de las propiedades y atributos de los mercados. Esa condición de «muchos con muchos», que se supone asociada a los mercados digitales, se presenta manifiestamente desequilibrada en algunas de esas lonjas sectoriales, en función de los productos objeto de transacción y, con ellos (con su grado de diferenciación), la mayor o menor facilidad para erigir barreras de entrada. La migración a esos sistemas de contratación de un número creciente de empresas puede, en efecto, agudizar las presiones sobre los precios de los suministradores en aquellos sectores como el del automóvil y el comercio, en los que la capacidad de negociación de los proveedores ya está significativamente limitada. La desigual fortuna seguida por las plataformas independientes, la tendencia cada vez más explícita a la agrupación de grandes empresas o la formación de plataformas privadas se está traduciendo por el momento en un fortalecimiento de las grandes empresas, la mayoría de ellas ubicadas sectorialmente en la vieja economía. Una vez más, es pronto para anticipar hasta qué punto esas nuevas prácticas terminarán reforzando la pluralidad competitiva o, por el contrario, el poder de mercado de los más fuertes. Algunos gobiernos, el estadounidense de forma particular, han abierto investigaciones específicas al respecto, conscientes de la singularidad de las situaciones creadas en este ámbito y de la trascendencia de su correcta regulación y supervisión.

LA PROMISCUIDAD TÉCNICA EN TORNO A LA RED

La red es la infraestructura básica. De su desarrollo y compatibilidad con otras posibilidades de comunicación y de transmisión de datos dependerá la concreción del potencial económico que se le asigna y la permeabilidad geográfica en que se confía como vía de reducción de las diferencias significativas que todavía existen en la asimilación de ese proceso de innovación entre los distintos países. Con la información hoy disponible no es aventurado convenir en la ubicuidad de la red bajo múltiples vías de acceso en un futuro relativamente próximo. Teléfonos móviles, asistentes digitales personales (PDA), televisión interactiva, etc., serán algunos elementos de ese entorno digital que envolverá permanentemente a los consumidores, con independencia de la incorporación de muchos de esos mecanismos favorecedores de la conectividad a gran parte de los objetos y servicios de utilización colectiva, desde los automóviles hasta los aviones, autobuses, etc. Las oportunidades comerciales, también los retos, que se abren a las empresas tras esas múltiples posibilidades de acceso a la red no son, efectivamente, desdeñables.

Alcance y amplitud (número de usuarios conectados, por un lado, y cantidad de información y velocidad de la transmisión, por otro) definen las posibilidades asociadas a las tecnologías de la información y, en particular, a las que ofrece Internet. Es difícil pasar por alto las restricciones que todavía existen para el acceso a la red en muchos países. A medida que la competencia entre los suministradores se intensifique cabe esperar que se superen los elevados costes de las instalaciones básicas. La dimensión del parque de ordenadores, la relación entre el número de líneas telefónicas y la población o el precio de las llamadas seguirán siendo importantes, aunque en menor grado. El gran problema inhibidor de la generalización de Internet, en los países donde existen esas infraestructuras mínimas, es la velocidad de navegación y la cantidad de transmisión a través de la red; de ello depende que Internet deje de ser mayoritariamente un medio para transmitir texto y aproveche el potencial que radica en la generalización de la transmisión de más cosas, muchas de ellas ya posibles (música, vídeos, libros, etc.), pero todavía a una escala y velocidad relativamente reducidas.

La extensión de las comunicaciones inalámbricas y el aumento del ancho de banda son las dos vías principales de estímulo al crecimiento de la conectividad. La convergencia del teléfono móvil con Internet constituye la principal promesa de cambio, la transformación que daría paso a una nueva generación de implicaciones económicas de mayor alcance que las observadas. La tecnología WAP (Wireless Aplication Protocol) es la que hasta ahora garantiza esa conexión directa del teléfono móvil con Internet, a través de terminales que permiten el acceso desde el móvil a determinados servicios en Internet. Con ocho millones de usuarios al final del año 2000, sus creadores se esfuerzan por universalizar un estándar único de Internet para telefonía móvil y otros soportes inalámbricos, por mejorar la seguridad y confidencialidad de las transmisiones, necesarias para esa supuesta explosión del comercio móvil *(m-commerce)*. Las iniciativas para extender las hasta ahora limitadas posibilidades de esa tecnología no son ajenas a las amenazas derivadas de la irrupción de esa otra, la denominada tercera generación, UMTS (Universal Mobile Telecommunications System), con promesas de ampliación de banda y mayor velocidad de transmisión.

Esa promiscuidad de mecanismos en torno a la red estimulará la oferta de una amplia gama de servicios disponibles *online*, que obligarán a empresas de distintos sectores, en particular al de servicios, a esa interlocución comercial y a adaptar su capacidad a esa ubicuidad de la red, de gestión más compleja que la generación actual de Internet. Y más contextual, más vinculada a la situación concreta del consumidor en cada momento. La posibilidad de cambiar los planes de viaje a última hora, realizar reservas en restaurantes o comprar entradas para espectáculos, efectuar pagos menores de distinta naturaleza u obtener información tan diversa como puntual (durante las veinticuatro horas del día) empiezan a ser ya objeto de concreción a través de cualquiera de esos mecanismos extensivos de las posibilidades que ofrece la red [39].

La portabilidad, su personalización, su extensión (los fabricantes de móviles esperan alcanzar los 1.000 millones de unidades en el año 2003), la cantidad creciente de información objeto de transmisión por los mismos y, no menos importante, el precio, fundamentan ese potencial que se le asigna en el desarrollo de la economía de Internet. El fabricante Nokia ha estimado que en 2002 existirán más terminales de móviles conectados a Internet que ordenadores personales y Researcher Cahners In-Sat cifra en 1.870 millones los suscriptores de telefonía móvil que existirán en todo el mundo en el año 2004.

La realización de operaciones empresariales a través de los móviles integra efectivamente las tres grandes tendencias que impulsan las comunicaciones de nuestros días: Internet, movilidad y los negocios electrónicos. La aplicación más inmediata de esa ya evidente extensión del móvil es la publicidad personalizada y particularizada en el tiempo y en el espacio. Aplicaciones específicas cuyo alcance será más explícito cuando las nuevas generaciones de móviles superen los problemas hasta ahora observados en los terminales hoy disponibles. Independientemente de otras aplicaciones, no por obvias menos importantes, como son las estrictamente vinculadas a la comunicación, las informacionales, son los servicios transaccionales los que dominarán en el futuro inmediato. Operaciones financieras, contratación de determinados servicios como billetes de avión, alquiler de coches, entradas a espectáculos y otras transacciones de comercio al por menor equivalentes a las que son objeto de liquidación mediante tarjeta de crédito, ya se realizan desde el móvil, configurando esa modalidad de comercio, el *m-commerce,* cuyo crecimiento puede ser según algunos analistas más importante que los observados en las modalidades iniciales [40].

Esa convergencia del móvil con Internet tiene en Japón (donde más de 60 millones de habitantes disponen de teléfono móvil) la principal avanzadilla, el banco de pruebas más importante del potencial que se le asigna. Más de 20 millones de suscriptores de esos nuevos servicios *online* en torno al dominio creado por la empresa operadora de móviles NTT DoCoMo (propietaria del denominado *i-mode)* lanzado a principios de 1999, cuyo servicio de acceso a Internet a través del móvil reunía al final del año 2000 a más de las tres cuartas partes de aquel mercado [41]. Concebido inicialmente para adolescentes, ha extendido sus servicios, de muy fácil utilización, a los más frecuentemente demandados por ejecutivos (desde la reserva de billetes de avión, restaurantes o envío de correo electrónico). De hecho, el *i-mode* es un competidor del WAP, el protocolo de acceso a Internet móvil más extendido en Europa y en Estados Unidos, constituyendo el fundamento de esa distancia en el uso de Internet sin hilos frente al resto del mundo: el 80% de los abonados de todo el planeta son residentes en Japón, frente al 5% de Europa y poco más del 1% en Estados Unidos.

Con todo, en el mundo, desde luego en Europa, la batalla por la conexión a Internet sigue siendo favorable al ordenador personal. Las ventas de PC en Europa durante 1999 alcanzaron, según la consultora Gartner Group, 134,7 millones de unidades, frente a menos de 30 millones de teléfonos móviles WAP. La limitación de servicios que todavía exhiben los terminales WAP (dimensiones de pantalla, dificultad de manejo del teclado, una más lenta conexión, etc.) está en el origen de esa preferencia por el ordenador personal.

Los ordenadores personales, tanto de sobremesa como portátiles, seguirán siendo las grandes puertas de acceso a la red, por métodos convencionales, inalámbricos o por cable, pero tendrán que compartirlo con otros mecanismos como el teléfono móvil. El potencial de crecimiento de la telefonía móvil es equivalente al que se le asigna a Internet; es la plasmación de esa hegemonía de las telecomunicaciones. El silicio sigue siendo el dominante, hay *chips* en todas partes, pero ahora el terreno de extensión son las telecomunicaciones. Intel, por ejemplo, ofrece una gestión centralizada del negocio en la red; hospeda sedes web y ofrece a las empresas lo que denomina servicios de segunda generación: alquiler de servidores con sus correspondientes sistemas operativos y sus aplicaciones de comercio electrónico. La idea que subyace en este tipo de ofertas es que las empresas que se lanzan a la red pueden concentrarse en su núcleo de negocio y dejar la informática en manos de los técnicos del centro de datos.

El crecimiento de Internet y otras vías de comunicaciones de datos ha situado en primer plano las demandas de infraestructuras de comunicaciones. No se trata sólo de conseguir mayor capacidad para las redes ya existentes, sino de reconfigurarlas para conducir el tráfico de comunicaciones en diferentes direcciones. El ancho de banda se inscribe en estas exigencias y se refiere a la cantidad de información por unidad de tiempo (bits por segundo). De su consecución a precios relativamente bajos depende la aceleración de las aplicaciones comerciales en Internet, en particular el comercio entre empresas (B2B), la apertura de nuevas aplicaciones en otros subsistemas empresariales y, en definitiva, el estímulo al crecimiento de la conectividad: del perfeccionamiento de la dinámica de globalización. Conexiones permanentes, adicionales a las telefónicas habituales que permitan, junto a una mayor amplitud y velocidad de transmisión, un uso tan frecuente como acabó siéndolo el propio teléfono. La extensión de las redes ópticas, los cables que transmiten señales de luz más rápida y eficientemente que las señales eléctricas en los convencionales *carriers* de cobre, tratan de satisfacer ese propósito, explicando el atractivo inversor de que son objeto. De ello dependerá el grado en el que la información pueda ser ajustada a las necesidades de los clientes, a la generalización de la interactividad, donde radica el verdadero potencial económico de la red. Para los más decididamente convencidos de la revolución en ciernes, la extensión del ancho de banda podría tener efectos sobre la actual economía del conocimiento similares a los que tuvo la disposición de nuevas energías fósiles en la vieja economía industrial.

A medida que aumenta la población en torno a Internet también crecen sus rendimientos, los incentivos a la generación de innovaciones técnicas que tratan de hacerla más habitable y susceptible de aplicaciones adicionales: aumenta el valor de la presencia en la misma para numerosas empresas; es difícil saber si en los términos exactos que prescribe la Ley de Metcalfe, pero ciertamente a un ritmo significativo. Son más las ideas que se generan que las que se pueden asimilar, más proyectos de enriquecimiento de la red que capacidad o voluntad para financiarlos, produciéndose una indigestión tecnológica paralela a esa otra de información en la red, que desborda igualmente la capacidad de utilización de la misma, para su concreción en valor [42].

Los negocios de redes y telecomunicaciones acaban cobrando mayor importancia que el de la propia informática. En el crecimiento de la red prima la integración, la armonía y la homologación entre los distintos dispositivos técnicos que emergen del continuo proceso de innovación. Los equipos clásicos desarrollados por las empresas tradicionales de telecomunicaciones, de funciones únicas y costosas, son sustituidos por aquellos otros compatibles con la red, más versátiles. La configuración de los ordenadores personales, la memoria como elemento central de esa configuración, son poco a poco desplazadas por los mecanismos directamente concebidos para esa suerte de sistema nervioso central que es la red; ordenadores cuyos procesadores no es necesario que sean muy potentes: mejor tontos siempre que sean baratos y de fácil uso.

En realidad, a juzgar por los estudios de mercado, la decisión de compra de un ordenador personal está cada día más determinada por la posibilidad de su conexión a Internet, confirmando parcialmente los vaticinios de Lawrence Ellison, fundador y presidente de Oracle, al definir en 1995 al ordenador personal como «un aparato ridículo», tal como nos recuerda Serrano [43]. Fue entonces cuando, junto a los máximos directivos de Sun Microsystems e IBM, L. Ellison presentó la Network Computer (NC), un aparato más simple y barato cuya función principal consistía en ser capaz de establecer conexión con un servidor central. Se trataba de una nueva versión de las terminales «tontas» conectadas a los grandes ordenadores de empresa de los primeros años de la informática empresarial. Oracle es, entre las grandes compañías de *software*, la que más decididamente ha asumido esas previsiones de su presidente y, en 1998, ya había trasladado la mayoría de sus aplicaciones a la red.

Aunque el descenso de los precios de los ordenadores personales ha permitido que éstos sigan disponiendo de un protagonismo absolutamente fundamental en el acceso a la red, relegando el papel de aquella primera versión de la NC, la idea que subyace en su concepción sigue disponiendo de total virtualidad: la promiscuidad de mecanismos conectados a la red otorgará a esos servidores el papel más importante en la medida en que es razonable asumir que sea la propia red la que acabe suministrando los principales servicios que hoy tendemos a satisfacer de forma autónoma, individual. El navegador será, efectivamente, un programa ubicuo, a través del cual se podrán satisfacer la mayoría de las necesidades de los conectados.

El servidor de aplicaciones se presenta como el elemento esencial en el futuro del comercio electrónico. En él confluyen toda una serie de aplicaciones, de programas, destinados a facilitar ese encuentro entre la base de datos y el navegador que maneja el usuario, con una capacidad de ampliación prácticamente ilimitada. En la feria de San Francisco celebrada en el año 2000 por Oracle (la Oracle Open World), de la que da cuenta Sebastián Serrano [44], Ellison presentó la última generación de sus bases de datos y sus servidores de aplicaciones (el denominado 9i), en la que se incorporan herramientas de «inteligencia empresarial», que permiten a las empresas observar las pautas de comportamiento de sus clientes, sin recurrir a programas adicionales, de carácter específico, como hasta ahora. Una arquitectura, la que subyace en ese nuevo sistema, que refuerza las externalidades de red básicas en la explosión de la conectividad, al ampliar la utilidad de las bases de datos, su realimentación y la fiabilidad del propio sistema, a medida que se incorporen un mayor número de usuarios. Conseguir un millón de usuarios simultáneos, servir un millón de páginas por segundo y llevar a cabo un millón de transacciones por minuto concreta el objetivo que Ellison asignó a esa gama de productos 9i.

Una tecnología especialmente apta para los proveedores de aplicaciones o ASPs (Aplication Service Providers), aquellos especializados en el alquiler de *software* y servicios a través de Internet, en ocasiones tan básicos como la contabilidad, la gestión de los recursos humanos, la de los suministros o las relaciones con los clientes y, desde luego, los mercados virtuales entre empresas. Una forma diferente de gestionar los sistemas de información, la constituida por la extensión de los ASPs, especialmente relevante para las pequeñas y medianas empresas, capaces de disponer de aplicaciones en la medida de sus necesidades, sin tener que llevar a cabo grandes inversiones, reduciendo costes y complejidad en la gestión de sus sistemas de información al tiempo que disponiendo de apoyo tecnológico permanente, incluidas las sensibles áreas de la seguridad y protección.

Es la extensión de esas aplicaciones de servicios en la red, la concepción de la misma como una plataforma susceptible de localizar múltiples ofertas electrónicas de diversa naturaleza, la que efectivamente convierte a Internet en ese agente de cambio, promotor de reglas técnicas comunes y estándares cada vez más abiertos, susceptibles de extensión rápida entre un amplio número de usuarios. Un agente que, efectivamente, está cambiando la naturaleza del *software,* desde ese carácter de programas estáticos destinados a correr en un ordenador o cualquier otra pieza de *hardware,* hasta aplicaciones que habitan en un servidor en la red a las que se puede acceder cuando realmente se necesitan [45]. La compatibilidad de las innovaciones, de las nuevas aplicaciones llamadas a ser colgadas de una plataforma común, forma parte de esa búsqueda de economías de red, de la generación de incentivos a concebir o transformar ofertas de servicios con vocación de universalidad. Sólo en Estados Unidos había más de 500 ASPs a final del año 2000; aunque casi todos cargan un coste por disposición del servicio, la mayor parte de los ingresos proceden de suscripciones mensuales.

En la medida en que otros mecanismos como el cable, la televisión digital o el teléfono móvil faciliten igualmente ese acceso a la red, la dependencia del ordenador, al menos en su configuración actual, será significativamente menor. Algo que ya estamos observando en Europa continental, donde las tasas de crecimiento en la penetración de los ordenadores personales son objeto de revisión a la baja, distanciándose de los niveles alcanzados en Estados Unidos. La consultora británica de Internet, Jupiter Research 2000, ha anticipado que el máximo de esa penetración se alcanzará en el año 2005, con un 52% de los hogares, mientras que en Estados Unidos será del 73%; entonces, según las mismas previsiones, sólo en el 43% de los hogares europeos se utilizarán los ordenadores personales para el acceso a Internet, frente al 74% en Estados Unidos [46]. «En el comercio electrónico, el ordenador personal es necesario pero insuficiente; la variable crítica son ahora los datos, la información, y son los servidores y estaciones de trabajo las máquinas que manejan las grandes cantidades de datos», ha afirmado Paul Otellini, responsable de la arquitectura Intel, en *The Economist*[47]. En esta misma publicación se destacaba con acierto que, de igual forma que la extensión del ordenador personal en la década de los ochenta acabó convirtiendo el *hardware* en una «commodity» y situando el *software* en el centro de la industria informática, ahora éste parece ceder su trono a los servicios suministrados en la red. El presidente de Oracle, L. Ellison, ha pronosticado que en tres años las dos terceras partes de todas las aplicaciones serán suministradas por ASPs. Una migración, conviene añadir, que puede tener efectos de gran significación sobre los tradicionales productores de *software,* sobre sus decisiones de investigación y desarrollo, pero también sobre sus métodos de venta y seguimiento de los clientes. Con todo, la entrada en la era post-PC, su menor grado de autonomía respecto a la red no supondrá la drástica desaparición de éste. La seguridad y la privacidad, además del celo por conservar ventajas frente a competidores, seguirán amparando la disposición de *software* propio, localizado en el ordenador, afianzando esa sensación de autonomía y de control, todavía difícil de conciliar con ese verdadero cambio cultural que constituye la puesta en común de determinados servicios o aplicaciones.

CAPÍTULO 3
UNA NUEVA ECOLOGÍA EMPRESARIAL

La nueva economía es un fenómeno fundamentalmente empresarial. Aun cuando sus resultados más divulgados hayan sido de naturaleza macroeconómica (básicamente, elevaciones en la tasa de crecimiento de la productividad determinantes de esa inusual coexistencia de una reducida tasa de desempleo y un moderado crecimiento de la inflación), las transformaciones que han conducido a esos resultados son, sin embargo, de naturaleza esencialmente microeconómica: operan en el seno de las empresas, en sus distintos subsistemas, incluida la organización.

Sin menoscabo del papel de las políticas económicas en ese proceso de adaptación estructural que están experimentando la mayoría de las economías industrializadas, suficientemente explícito en Estados Unidos, son las iniciativas empresariales las que configuran la nueva economía del conocimiento. Primero mediante una intensificación de la inversión pero, sobre todo, por un cambio en la naturaleza de la misma. Frente a la concreción mayoritaria en medios de producción tangibles, en activos físicos, que a su vez determinaban en gran medida el valor de las empresas de la economía tradicional, en la nueva las inversiones son cada día más intensivas en activos intangibles, de las que las materializadas en las tecnologías de la información son las más destacadas. Son inversiones que contribuyen a dinamizar las capacidades de las empresas, que determinan alteraciones básicas en sus formas de producción, de organización y decisión, al tiempo que contribuyen a mejorar las cualificaciones y habilidades de los trabajadores. Inversiones que propician la formación de un capital organizacional cuya importancia trasciende los incompletos registros de la contabilidad nacional en muchos países, amparando el potencial de transformación de muchas economías, además de diferenciar favorablemente la valoración de las empresas que han conseguido acumularlo.

En la raíz de esas transformaciones está el valor de la información, su coste decreciente y las múltiples aplicaciones de Internet. La emergencia de nuevos canales de conexión y comunicación, la reducción progresiva de la importancia relativa de sus soportes físicos, la mayor versatilidad en la interlocución entre los distintos agentes relevantes en el funcionamiento de las empresas, cuestionan aspectos esenciales de la actividad de las mismas, empezando por sus propias cadenas de valor [1] y, en consecuencia, por las propias estrategias y sus formulaciones concretas. La información se está convirtiendo en el eje en torno al que gira un número creciente de actividades en el seno de la empresa, el nexo que aglutina las estructuras empresariales. Es también el componente fundamental de las nuevas cadenas de valor, ya no sólo concebidas como flujos lineales de actividades físicas, sino, como sostienen Evans y Wurster [2], comprensivas de toda la información que fluye en el seno de una empresa y entre ella y sus proveedores, distribuidores y clientes, reales o potenciales. El aumento de la capacidad de captación, análisis, almacenamiento y puesta en común de información, todo ello a una velocidad sin precedentes, determina modificaciones sustanciales de todas las actividades empresariales, impulsando alteraciones de gran significación en las formas de organización de las mismas y en las de trabajo, en las relaciones en el seno de las organizaciones y en las competencias internas.

Internet y sus aplicaciones no sólo hacen las transacciones tradicionales más eficientes, sino que alteran la propia naturaleza de algunas decisiones, como las de comprar o fabricar. Posibilita la externalización de muchas funciones que se hacían en el seno de las empresas, con una extensión funcional y geográfica que trasciende los ámbitos observados hasta ahora. Tareas consideradas sensibles, como el seguimiento y el apoyo a clientes, el procesamiento de facturas, la contabilidad o cualquier otra función tradicional de las empresas las realizan otras, en otros países. Incluso funciones consideradas críticas, como la arquitectura o la ingeniería de diseño y fabricación, empiezan a ser «virtualizadas», se inscriben en esa preeminencia de la búsqueda de la oferta eficiente, por muy remota que sea su localización. Es la verdadera globalización.

Cambios sustanciales que, además de reflejar significativas reacciones estratégicas en las empresas existentes, también propician la emergencia de nuevas, más próximas a esa dinámica de innovación tecnológica o, simplemente, en disposición de explotar los nichos que dejan abiertos el desigual ritmo de adaptación y reestructuración de las preexistentes o de las decisiones de externalización de las grandes. Nuevos actores y nuevas vías de asunción de riesgos reflejados en esos renovados impulsos a la creación de empresas, a la emergencia de nuevas constelaciones de recién llegados, que acentuando la competencia, cuestionan el *statu quo* empresarial y los privilegios institucionales vigentes durante las últimas décadas.

La intersección de esta tendencia, del crecimiento de las redes, con las no menos explícitas asociadas al dominio del conocimiento y a la globalización del comercio y la inversión, sintetizan esa reconfiguración de los factores relevantes en la actividad de las empresas determinantes de nuevos retos, que obligan a la adopción de decisiones básicas en la gestión del conocimiento y de la innovación, a cambios también de carácter estratégico y organizativos que permitan una efectiva adaptación a las cambiantes fronteras geográficas y culturales. Imponen, como sugiere Joan Magretta [3], una nueva agenda a todas las organizaciones, con independencia de su naturaleza. La ortodoxia hasta ahora dominante de la dirección de empresas queda cuestionada por esa transición hacia una economía en la que la creación de valor descansa cada vez más en los intangibles y en la capacidad de innovación.

Las nuevas y más amplias vías de acceso a la información condicionan la configuración de las organizaciones, ya no tan dependientes de la distribución y dosificación de aquélla como único principio inspirador del diseño organizativo. En las nuevas condiciones en que operan las empresas sigue siendo cierto que la información es poder, el elemento diferencial ahora es que el acceso a la información es mucho más amplio, inmediato y barato. Las viejas jerarquías son cuestionadas: el poder se reformula tras esa dispersión de la información y la necesidad de usarla más rápida y eficientemente.

Todo ello acaba configurando una nueva ecología empresarial, que obliga a las compañías establecidas a recrearse y reorganizarse con el fin de responder a las presiones competitivas y a las oportunidades que presenta la escena económica de nuestros días. Modificaciones sustanciales en el censo de empresas pertenecientes a diversos sectores económicos, así como en la distribución sectorial de las mismas, que aceleran ese desplazamiento hace tiempo evidente desde la industria a los servicios [4], posibilitando que los productos de la primera, las manufacturas, sean cada vez más intensivos en conocimiento. Como consecuencia de todo ello, el proceso de globalización, además de recibir un fuerte impulso, adopta manifestaciones distintas a las exhibidas hasta ahora, tanto en relación con el número de actores como en la naturaleza de las relaciones de producción e intercambio entre ellos.

Conviene recordar que no es un proceso exclusivo de los sectores de donde emergen esas nuevas tecnologías, sino que se extiende a los considerados propios de la economía tradicional, proyectando sus aplicaciones, las posibilidades de aumento de la eficiencia, pero también las necesidades de que el conjunto del sistema económico adapte sus patrones de regulación y organización. Una dinámica, en definitiva, no exenta de la incertidumbre propia de esas situaciones de discontinuidad tecnológica, que afecta a la práctica totalidad de las relaciones en que se fundamenta la vida empresarial.

En este capítulo se describen las principales y más genéricas implicaciones de esas transformaciones, con especial atención a la emergencia de nuevas configuraciones competitivas, al nacimiento de empresas y a las formas adicionales de crecimiento de las mismas, así como a las alteraciones sobre los modelos de organización. Las modificaciones sobre el trabajo, sobre la organización del mismo y las respuestas de los trabajadores cierran el capítulo.

Nuevas y más intensas formas de competencia

Expresiones como las acuñadas por Bill Gates [5], «las empresas van a cambiar más en los próximos diez años que en los pasados cincuenta», por el expresidente de Intel, Andy Grove, «todo ha de ser rápido, porque donde no te colocas, te quitan la posición», o la sentencia de Charles Wong, fundador de Computer Associates, «si no estás en la web estás acabado», aunque en apariencia exageradas, incorporan advertencias dignas de tomar en consideración. Como muchas otras, subrayan la extendida sensación de crisis en la dirección tradicional de las empresas, sugiriendo la necesidad de una transformación en las técnicas y estilos de conducir la vida empresarial, las propias estrategias, más allá de los tradicionales enfoques gradualistas e incrementales. Incluso desde posiciones prudentes en la valoración de la trascendencia estratégica de Internet, como las que mantiene Michael Porter [6], se considera que no hay elección en relación a la asimilación de las tecnologías aglutinadas en torno a la red, si las compañías quieren seguir siendo competitivas. La cuestión básica es cómo se lleva a cabo esa asimilación: qué papel ocupa en la definición estratégica de las empresas.

Es cierto que por primera vez es la tecnología la que ha pasado a un primer plano en la determinación de las orientaciones estratégicas. Las tecnologías de la información han dejado de ser una parte diferenciada de las empresas, un ámbito funcional o un subsistema confiado a los especialistas en ese campo, para situarse en el centro de los procesos de toma de decisiones y cobrar una relevancia genérica. No es posible disociar el imperativo tecnológico de la intensificación de la competencia sobre una base crecientemente global que, en conjunto, contribuye a la generación de esa sensación de inseguridad, de cuestionamiento de las ventajas frente a los competidores.

La red modifica sustancialmente las condiciones en las que las empresas compiten en la mayoría de los mercados. En muchos de ellos aumentan la competencia y, en algunos otros, emergen nuevas formas de poder de mercado que obligan a las viejas regulaciones y a los órganos de supervisión de la competencia a una adaptación no menos importante que algunas empresas de la vieja economía. La distinta naturaleza de las inversiones que diferencia la vieja de la nueva economía, el dominio de los intangibles, genera, como ha recordado Krugman [7], una tendencia a la conversión de algunos mercados en monopolios temporales. Las inversiones en la economía del conocimiento no están tanto determinadas por las cifras de ventas de las empresas, ni tampoco necesariamente por las expectativas de beneficios a corto plazo, como por la pretensión de adquirir una mayor cuota de mercado, un cierto grado de poder de mercado, que facilite la generación de economías de red. Si, como hemos visto en el caso de Microsoft, tales tendencias crean situaciones nuevas para las autoridades tradicionales de supervisión de la competencia, también es cierto que la duración de esos privilegios está condicionada por las amenazas de nuevos entrantes, de innovaciones, en mayor medida que en la economía dominada por las inversiones materiales. Son, efectivamente, monopolios quizá inevitables, pero mucho más efímeros que los formados en la vieja economía.

Son muchas más las barreras limitativas del libre juego de la oferta y la demanda que Internet echa abajo, que las que emergen de nuevo cuño. En primer lugar, las estrictamente geográficas, pero también dejan de ser tan infranqueables aquellas otras barreras derivadas de la ausencia o desigual distribución de la información. La extensión de la red reduce la importancia de la localización: la diferenciación geográfica deja de ser un obstáculo tan importante. Es en las industrias de bienes de consumo donde, como vimos en el capítulo anterior, ese aumento de la competencia se manifiesta en mayor extensión —la red también facilita, en mucha mayor medida que los intercambios tradicionales, que los consumidores expresen sus demandas específicas—, pero sus efectos serán también importantes en otros sectores de la actividad económica.

La capacidad de elección de los consumidores, su poder, en definitiva, es reforzado en los intercambios que tienen lugar en la red. Es cierto que la primera consecuencia aparente de la extensión de la red es el incremento de la oferta para los consumidores. La superación de esa correspondencia entre oferta y emplazamiento físico deja de limitar las opciones de los consumidores. En realidad, Internet no aumenta la oferta de ningún bien ni servicio, pero sí incrementa sus posibilidades de manifestación, permite el desplazamiento del cliente por todos los puntos de venta, la comparación de las condiciones relevantes para tomar la decisión de compra, sin el esfuerzo y consumo de tiempo propios de la realidad tradicional. En algunos bienes y servicios, la propia red facilita el acceso a la rápida comparación de esas condiciones, a la elección del mejor precio entre bienes homogéneos, no sólo sobre una base nacional, sino a través de un número cada día más amplio de países.

Internet nos permite ver más en menos tiempo. La transparencia, esa propiedad tan esencial en el funcionamiento del libre mercado como escasa en la realidad, encuentra en la red su más importante aliado. El acceso a la información que permite la red, su disposición por un número creciente de usuarios y consumidores potenciales, obliga a las empresas a reducir aquellas diferencias en precios frente a competidores que se sustentaban en la dificultad de sortear algunas de esas barreras informativas o las impuestas por la propia geografía. El arbitraje es más fácil con Internet, prácticamente automático en algunos bienes y, en especial, en algunos servicios; los financieros son, una vez más, suficientemente representativos al respecto. El resultado de esa extensión de la geografía (de su menor relevancia) y de la extensión relativamente barata de los mercados en la red, es un aumento de las presiones competitivas y, por consiguiente, sobre la tasa de rentabilidad de las empresas.

Frente a ese aumento de la competencia manifestado en la dificultad para mantener diferencias de precios en bienes y servicios homogéneos, Internet permite a las empresas una gestión menos expuesta a la incertidumbre en determinadas áreas. Estimar la demanda y adecuarla a la oferta es ahora un ejercicio menos aventurado. La accesibilidad a la información acerca del comportamiento de los consumidores y el seguimiento puntual de sus decisiones de compra puede contribuir a una estimación más fiel de su demanda. Las preferencias de los consumidores dejan de ser la variable más difícil de aprehender en la demanda potencial de un producto y pasa a ser objeto de captura en aquellos bienes o servicios más ajustados a las posibilidades comerciales que ofrece la red, mediante la interlocución particularizada con los consumidores. En determinados sectores —el editorial es probablemente uno de los más representativos— es posible anticipar la demanda no sólo sobre la base de estimaciones de las preferencias de los clientes potenciales, sino incluso mediante órdenes previas de compra del producto o del servicio en cuestión, como las que lleva a cabo la librería Amazon.com en su interlocución con millones de clientes.

La gestión en tiempo real —adoptar decisiones ahora, sobre la base de información que, además de relevante, también es captada en el momento, reduciendo el número de filtros innecesarios— en áreas centrales de la empresa es ahora algo más que una posibilidad. Producir para atender la demanda identificable, reduciendo, en definitiva, la dependencia de ejercicios de previsión y presupuestación es un ideal al que nos aproximan las posibilidades de comunicación en torno a la red. De hecho, como hemos comentado, uno de los beneficios más explícitos de las nuevas tecnologías de la información y del avance en la capacidad de computación radica en el mejor control de los inventarios y en el descenso en los costes de financiación de los mismos. Algunas de las más importantes implicaciones macroeconómicas derivadas de ese mejor uso de la información de la empresa están estrechamente relacionadas a esa gestión más eficiente de los inventarios, a su contribución a la suavización de las fluctuaciones cíclicas. Bradford DeLong (2000a) nos recuerda que, en los últimos cien años, dos quintas partes de la variabilidad intertrimestral de las tasas de crecimiento de la producción en Estados Unidos se debían a fluctuaciones de la inversión en inventarios. En consecuencia, las facilidades tecnológicas ahora disponibles, la mayor y mejor información, serían las responsables de esas significativas reducciones en los ratios de inventarios sobre ventas (superiores al 20%) observadas en la economía estadounidense a finales de los años noventa, así como de las reducciones más importantes en el tiempo de permanencia de los bienes en los inventarios. La consecuencia de esa configuración cada vez más próxima a los modelos de producción *just-in-time,* además de su contribución a la moderación de las fluctuaciones cíclicas (los más fervientes partidarios de la nueva economía anticiparían su no muy lejana eliminación), es ese descenso en la «tasa natural de desempleo» que se ha observado en la economía norteamericana. En efecto, los datos del Departamento de Comercio ponen de manifiesto un descenso casi continuo en la relación de inventarios sobre ventas desde 1,55 en 1991 a 1,3 en 2000.

La reacción de las empresas ante la desaceleración de la demanda en la economía estadounidense a partir del cuarto trimestre de 2000, el más rápido ajuste de los inventarios, en particular en las empresas productoras de bienes de consumo duradero, son exponentes de esas mejoras en la gestión que ha propiciado el uso más eficiente de la información [8]. Señales que avalan la insistencia del presidente de la Reserva Federal en la consideración del crecimiento de la productividad como una tendencia arraigada, de largo plazo, en lugar de esa naturaleza estrictamente cíclica que le atribuyen algunos analistas.

En la consideración conjunta de esos dos grupos de implicaciones —aumento de las presiones competitivas y mejoras de eficiencia en la gestión de los procesos de los distintos subsistemas empresariales—, el balance todavía no es concluyente. Es cierto que las tecnologías basadas en la red tienden a reducir costes variables y a desplazar las estructuras de costes hacia los de carácter fijo, acentuando, como advierte Porter [9], esa competencia destructiva en precios que sacrifica la rentabilidad media. A pesar de la contraria opinión del profesor de Harvard, es pronto para apreciar que ese efecto sea compensado por ventajas derivadas de un mejor uso de la información en los procesos de toma de decisiones.

En todo caso, lo cierto es que la infraestructura que ofrece la red, sus amplias y versátiles aplicaciones en la actividad empresarial, constituyen un importante cambio estructural, de consecuencias, por tanto, a largo plazo. Una de ellas puede ser, efectivamente, la presión a la baja de las tasas de rentabilidad en determinadas industrias, obligando a una más rápida y profunda reflexión estratégica a aquellas compañías que aspiren a singularizarse del conjunto. Un ejercicio ciertamente difícil, en la medida en que de esas dos vías que el propio Porter sugiere —la eficacia operacional y el posicionamiento estratégico—, al menos la primera es de muy difícil singularización en la red: más vulnerable y efímera[10]. La segunda es, efectivamente, cuestión de disciplina para anteponer la búsqueda de la rentabilidad al mero crecimiento, lo que exige, concluye Porter, definir una única proposición de valor.

NUEVAS FORMAS DE CRECIMIENTO EMPRESARIAL

Esa dependencia de la tecnología de la información, su creciente importancia en todos los procesos y subsistemas empresariales, significa, como han destacado Shapiro y Varian [11], que las empresas no deben centrarse únicamente en sus competidores, sino también en sus potenciales colaboradores, intensificando la formación de alianzas, sin menoscabo de los procesos de concentración válidos en aquellos sectores con mayor grado de madurez. La importancia relativa que cobran los procesos de distribución obliga a revisar las estrategias de crecimiento de las empresas ubicadas en sectores clásicos y a la vez maduros, como el bancario o el automóvil, adoptando una orientación progresivamente centrada en la distribución y en la atención directa a ese consumidor que hasta el momento se presenta como el verdadero soberano de esa nueva economía.

La extensión de esas posibilidades de interlocución a otros mercados, distintos a los de aquellos bienes con un grado mínimo de estandarización, el potencial de superación de las fronteras nacionales y la demolición de las barreras a la entrada en numerosas industrias permiten anticipar modificaciones en la composición de las ventajas competitivas de numerosas empresas, que aceleran la obsolescencia de aspectos básicos de su estructura y funcionamiento, incluida su dimensión. Los criterios convencionales de tamaño dejan de ser consistentes, al tiempo que, en general, se reduce la escala mínima necesaria para alcanzar la eficiencia en numerosos procesos y líneas de producción, modificando la importancia relativa de las economías de escala y de alcance. La excepcional recepción que dispensaron los mercados de acciones a las empresas más próximas a las tecnologías de la información y su menor intensidad en capital físico han contribuido a esa creciente y quizá precipitada inconsistencia entre los criterios tradicionales de tamaño: las cifras de ventas, de activos, de empleados y de capitalización bursátil.

Inconsistencia a la que se sobrepone la preeminencia del veredicto de los mercados bursátiles y la consecución del objetivo, al que no pueden renunciar quienes gobiernan una sociedad por acciones de maximización del valor de la acción. Formar parte de los mercados de acciones y disponer del favor de sus inversores es ahora más que nunca la referencia finalista de la generalidad de las empresas, especialmente de las que han visto la luz o han crecido de forma significativa durante estos años de explosión de la nueva economía. Para satisfacer tales propósitos, la condición más importante ha sido la intensificación del crecimiento, especialmente durante los años de mayor euforia bursátil en torno a las empresas tecnológicas. Para ello, el crecimiento orgánico o interno no es suficiente, es demasiado lento; la adquisición de otras empresas o las fusiones permiten la aceleración de esa carrera por un tamaño que, supuestamente, conduce al liderazgo y al tratamiento diferencial en los mercados financieros. También se supone que la incorporación de ventajas competitivas (clientes, tecnologías, experiencias o capital humano), de lenta formación mediante procesos de crecimiento más graduales, excederán a los no menos probados inconvenientes exhibidos en muchas decisiones de integración.

Sobre esas bases, la década de los noventa ha presenciado la más intensa oleada de reestructuraciones empresariales de la historia, en la que las concentraciones han sido dominantes, tanto sobre una base nacional como transfronteriza, verdaderamente global. En algunos sectores, de forma particular en el de las tecnologías de la información y de las telecomunicaciones, la compra de empresas se ha convertido en una función más de algunas empresas, en una vía de especialización, en no pocos casos con mayor peso específico que las consideradas propias de la actividad de las empresas adquirentes, de la gestión.

Pero comprar no es sinónimo de integrar. La diligencia en identificar posibilidades de crecimiento externo, la denominada «velocidad web», en concretar adquisiciones de empresas, de organizaciones con su propia vida, no garantiza que la resultante satisfaga esa aspiración por añadir más valor que la mera agregación de las preexistentes (ese efecto sinérgico que el profesor de administración de empresas Igor Ansoff [12] ilustró hace muchos años como «2+2 = 5»). En realidad, diversos trabajos de evaluación de los resultados de esos procesos de concentración aportan resultados que obligan a cuestionar la racionalidad de esa fiebre concentracionista o, al menos, a hacer lo propio con esa marcada subordinación de la capacidad de integración de las unidades concentradas.

Si el impacto efectivo de esas alteraciones está todavía por manifestarse en toda su extensión, no ocurre lo mismo con la ansiedad que esa dinámica de transformación ha generado en responsables de muchas empresas. Una sensación determinada por esa aparente asimetría entre el ritmo de cambio del entorno relevante para las empresas y el correspondiente a la adaptación de sus principales responsables, que ha quedado sintetizada en esa sentencia del presidente de Intel, Andy Grove, «sólo los paranoicos sobrevivirán», o en la no menos amenazante formulada por el profesor de la Universidad de Harvard, Clayton Christensen [13], «ahora tu competidor sólo está a un *click* de distancia». Percepciones que podrían ayudar a explicar esas pretensiones por quemar las etapas propias de las modalidades de crecimiento orgánico y tratar de ganar tiempo mediante adquisiciones, fusiones o alianzas con otras empresas, especialmente las más próximas a las nuevas tecnologías dominantes. Un cuestionamiento permanente de la propia identidad de las empresas, instaladas en esa suerte de provisionalidad que infunde el convencimiento de que, antes o después, como ya ocurriera en épocas pasadas de similar intensidad en los procesos de innovación tecnológica, el mercado acabará seleccionando a unas pocas y, en todo caso, primando a las que consigan ocupar posiciones de liderazgo. La señalización del territorio se convierte así en una prioridad, aun cuando ello implique adquisiciones de competidores a precios difíciles de justificar por cualquier principio racional de valoración, apenas atemperado por el hecho de que la mayoría de esas transacciones no implique la mediación de dinero, sino el mero intercambio de acciones [14]. La celeridad de esas decisiones de crecimiento plantea interrogantes adicionales, como los relativos a la capacidad de asimilación de los mismos, de los recursos humanos implicados en esas operaciones de concentración, de la diversidad de culturas empresariales, que ponen a prueba la no siempre garantizada madurez de los responsables empresariales.

Quizá es por esa desigual evidencia sobre la capacidad para gobernar unidades empresariales de cierta dimensión o heterogeneidad, formadas por ese aluvión de adquisiciones, por lo que no pocas compañías adoptan decisiones de fragmentación, de creación de divisiones con diversos grados de autonomía, con el propósito aparente de ganar en flexibilidad y en capacidad de reacción ante un entorno cuyas exigencias adaptativas exceden a la disposición de un tamaño mínimo. También es cierto que los costes de transacción se aligeran en la economía de la red, es menos necesaria la internalización en el seno de la empresa de tareas que puede desempeñar el mercado. La magnitud de las tres principales categorías de esos costes (de búsqueda, contractuales y de coordinación de recursos y procesos), su reducción o eliminación, determinan la formación de empresas o el aumento de su dimensión, como anticipara la teoría formulada por el premio Nobel de economía Ronald Coase en 1937. La desagregación se convierte hoy en una decisión tan relevante como la opuesta.

La emblemática AT&T, en otra época obligada a una división recientemente evocada como precedente del veredicto del juez Jackson contra Microsoft, en lugar de aspirar a la reconstrucción del imperio de antaño opta ahora voluntariamente por una nueva división, segregando varias unidades de negocio, no todas ellas independientes de la actividad principal del conglomerado, como son las de telefonía móvil y las de servicios de banda ancha. Lo hace confiando en que los mercados de acciones tratarán a esas unidades segregadas mejor que si se mantuvieran en el seno del grupo: buscan esa maximización del valor para el accionista, que supuestamente favorece el aislamiento de las actividades más prometedoras. O la venta de otras consideradas no esenciales, como han hecho no pocas multinacionales en diversos sectores.

Ejercicios, orientados a redefinir el tamaño de la empresa, que sólo deberían influir en el valor de mercado de ésta si se traducen en una mayor capacidad de adaptación a ese entorno; si, en última instancia, contribuyen a aumentar la capacidad de generación de beneficios. Exponentes de ese cuestionamiento de los factores determinantes de la dimensión óptima de la empresa que ahora se revelan con una menor vigencia, más efímeros, en la mayoría de los sectores. Como también lo son los criterios que hasta ahora permitían diferenciar los ámbitos en los que la cooperación entre empresas podría sustituir a la rivalidad.

Como vimos en el capítulo anterior, al observar la formación de plataformas comerciales comunes (B2B) entre productores de un mismo sector, los imperativos de adaptación al cambio técnico, la convergencia tecnológica en sectores distintos, la magnitud de algunas inversiones y la posibilidad de generar externalidades de red parecen favorecer esa vía intermedia en torno a las alianzas empresariales, intra e intersectoriales: la red propicia la creación de esos puentes entre la competencia y la colaboración. El surgimiento de plataformas de contratación entre competidores, como los *marketplaces* en los que se llevan a cabo comercio entre empresas, o los acuerdos entre empresas financieras y compañías de telecomunicaciones son sólo alguno de los exponentes de esas nuevas formas de cooperación, de búsqueda de complementariedades, que trascienden las demarcaciones tradicionales entre competidores.

No faltan quienes advierten de implicaciones adversas para las empresas derivadas de esa facilidad para trenzar alianzas en torno a la red. Michael Porter [15] considera que el optimismo generado carece de fundamento, tanto en las configuradas en torno a productos complementarios (aquellos que son utilizados conjuntamente con otro producto de la misma industria, de los que el *software* y los correspondientes ordenadores son los más representativos), como en las que comparten tecnologías externalizadas por varias empresas, de los que los *marketplaces* digitales serían los principales exponentes. Las ventajas, en términos de ahorros de costes a corto plazo y mayor flexibilidad derivadas de esa puesta en común de los mismos suministradores con otros competidores, pueden verse compensadas por la homogeneidad creciente de los *inputs* adquiridos en común. Sus consecuencias se pueden manifestar en la erosión de los rasgos distintivos de cada compañía, diluyendo barreras a la entrada, restando capacidad de control sobre fases de su proceso de producción, todo ello con consecuencias claras sobre la agudización de la competencia vía precios. Porter ha advertido repetidamente del carácter destructivo de esta competencia, sin embargo, desde una perspectiva global de la economía, ha de ser bienvenida.

Nuevos actores. Incubadoras e incineradoras

La explosión de las aplicaciones empresariales de las tecnologías de la información no sólo ha transformado algunas de las funciones básicas de los sistemas de gestión empresarial, también ha cambiado los incentivos al nacimiento de empresas y la forma en que se crean y se desarrollan. Como ya ocurriera en otras fases históricas dominadas por una intensa aceleración tecnológica, una de las manifestaciones de su transmisión a la dinámica de las economías que la presencian es la alteración del censo empresarial: la emergencia de nuevas empresas a un ritmo superior al de épocas caracterizadas por una mayor estabilidad. Recién llegados que intentan aprovechar las nuevas oportunidades de enriquecimiento y que, dependiendo de la complicidad del entorno (de las instituciones, de la política económica, de las entidades y de los mercados financieros), aspiran a modificar significativamente el orden empresarial preestablecido.

Las transformaciones determinantes de la nueva economía han estimulado ese aumento en la tasa de natalidad empresarial, en la proliferación de *start ups* y en la reducción en el tiempo de creación de empresas. Han renovado esa suerte de motivación ejercida por el tópico del garaje alumbrador de iniciativas susceptibles de alcanzar la cúspide del *ranking* de la revista *Fortune* a los pocos años de su concepción. En las clasificaciones por tamaño de las empresas estadounidenses durante la década de los noventa hemos visto cómo algunas de las principales posiciones eran ocupadas por empresas que no existían hace apenas dos décadas. Con datos de Credit Suisse First Boston (2000), cinco de las quince mayores compañías por capitalización del mercado al final de 2000 incluidas en el índice S&P500 no existían veinte años antes. El 60% de las empresas de tecnología que también al término del año 2000 tenían una capitalización superior a los 50.000 millones de dólares habían salido a bolsa en las dos últimas décadas; la capitalización de mercado combinada de esas compañías superaba el billón y medio de dólares.

Una dinámica cuya intensidad ha llegado a cuestionar aquellas premoniciones que daban por muertas las energías creadoras de nuevas empresas, su absorción por esas grandes corporaciones inhibidoras de las iniciativas propias de un capitalismo joven. Esa suerte de regeneración del capitalismo impulsada por la nueva economía ha reducido aún más la virtualidad de aquellas advertencias anticipadas por el profesor emérito de Harvard, J. K. Galbraith, en su libro *El nuevo Estado industrial*[16], mediante las que la planificación de las grandes corporaciones estaba suplantando a las fuerzas del mercado: configurando esa convergencia del capitalismo y del socialismo, mediante la desfiguración de las señas de identidad del primero. El empresario individual dejaría de existir en un capitalismo dominado por empresas industriales maduras, con la capacidad de asimilar cualquier iniciativa provechosa. Asistiríamos, según J. K. Galbraith, a «la eutanasia del poder de los accionistas».

La observación de la dinámica de innovación de estos últimos años desautoriza, al menos por el momento, las tesis de Galbraith, en la medida en que muchas de las grandes transformaciones tecnológicas de estos últimos años y de la búsqueda de sus aplicaciones han sido protagonizadas directamente por empresas de nueva creación. Empresas inexistentes hace un cuarto de siglo han concretado las aplicaciones de los semiconductores a los ordenadores personales y esa explosión de la conectividad a través de Internet. También han sido numerosos los alumbramientos de empresas con el objetivo de aprovechar aquellos huecos, los nichos en la cadena de valor, que las grandes dejaban abiertos como consecuencia de los desplazamientos estratégicos a que obligaba el nuevo entorno económico. O aquellas otras decisiones voluntarias de externalización de determinadas actividades que se revelan no fundamentales en la nueva dinámica competitiva.

El caso de Yahoo! es suficientemente ilustrativo al respecto. La primera multinacional de Internet cumplía cinco años de vida en el año 2000. En junio de ese año disponía de más de 156 millones de visitantes diarios en todo el mundo, que consultaban más de 680 millones de páginas al día. Cinco años desde que dos estudiantes de la Universidad de Stanford, Jerry Yang y David Filo, crearan Yet Another Hierchical Officious Oracle. Al año de su nacimiento cotizaba en bolsa alcanzando, en otoño de 1999, una capitalización superior a 11 billones de pesetas.

Entre la concepción de una nueva empresa y su definitivo asentamiento media un camino cuyas dificultades determinan una tasa de mortalidad excesivamente próxima a la de natalidad. No sólo se requieren recursos financieros para que en esos primeros meses de vida los emprendedores consoliden sus proyectos; para quien alumbra un proyecto empresarial y ha de gestionar su supervivencia son igualmente necesarios, y con frecuencia costosos, los servicios legales, de información, administrativos, de marketing, sin olvidar los más inmediatos de cobijo físico. El objetivo de las incubadoras empresariales es facilitar la maduración inicial de las empresas recién nacidas, fortalecer esos primeros destellos de vida y asentar la transición a la madurez.

Las incubadoras nacieron en la década de los setenta e inicialmente fueron instituciones sin ánimo de lucro, universidades y comunidades que se beneficiaban en no pocos casos de los apoyos financieros del gobierno. Profesionales de éxito con pretensiones de transmitir sus experiencias y sus relaciones, empresas de la vieja economía o grandes consultoras con voluntad de apadrinar proyectos en los que además de la imagen pudieran procurar ideas o tecnologías útiles, éstos son algunos de los rasgos diferenciales de esa nueva época que abordaron las incubadoras en la segunda mitad de los noventa. Según la estadounidense National Business Incubation Association, con sede en Athens, Ohio, desde octubre de 1999 hasta agosto de 2000 se crearon una media de cuatro nuevas incubadoras a la semana, situando el total en más de 800 sólo en Estados Unidos, la mitad de las existentes en todo el mundo.

Aun cuando en muchos casos se presenten asociadas estrechamente a fondos de capital riesgo, las diferencias entre unas y otras instituciones son importantes. La mayoría de los fondos sólo ofrecen dinero a cambio de acciones, mientras que las incubadoras lo hacen con servicios, aunque también en la generalidad de los casos a cambio de una participación en capital que en promedio oscila entre el 25% y el 50%, con la vista puesta en la rápida salida al mercado a través de las correspondientes Ofertas Públicas de Venta (IPOs, Initial Public Offer). Junto a universidades y particulares más o menos desprendidos (los denominados «ángeles»), también han sido frecuentes las iniciativas de grandes compañías consultoras que, ante el evidente riesgo de huida de sus talentos más preparados o ambiciosos, optaron por la creación de incubadoras o de fondos de capital riesgo. Estas actividades, en muchos casos, no han sido sino formas para concretar programas de retención de empleados en los momentos de más intensa fiebre emprendedora: una vía para proporcionar compensaciones equivalentes a las vigentes en los sectores más próximos a las tecnologías de la información [17].

A pesar de esos apoyos técnicos y financieros orientados a facilitar la consolidación de los proyectos recién nacidos, la mortalidad empresarial también es un rasgo propio de la nueva economía. Como en todo proceso de innovación, de destrucción creativa, son muchas las empresas que no resisten los rigores de la competencia más intensa o los de los vaivenes de los mercados financieros. Algo que ya ocurrió tras la introducción del ferrocarril en Estados Unidos, que llegó a atraer a más de 5.000 empresas ávidas de explotar las nuevas oportunidades que se ofrecían, la mayoría de ellas condenadas a desaparecer poco tiempo después, cuando la competencia y el racionamiento financiero se hicieron más explícitos. Por tanto, no eran excesivamente pesimistas las anticipaciones que, antes de la intensa corrección bursátil de 2000, situaban en una proporción superior al 90% las empresas que no llegarían a alcanzar la madurez, especialmente las orientadas a operar en los distintos ámbitos que Internet ofrece.

Tras la primera gran prueba de ese proceso de destrucción creativa con ocasión de las sucesivas purgas que experimentaron las compañías tecnológicas en los mercados de acciones a partir de marzo de 2000, se pusieron de manifiesto algunas de las debilidades de esa excepcional expansión en el número de empresas: su precipitación e ingenuidad de planteamientos, la insuficiente capitalización o la falta de liderazgo. Con esa mayor exigencia en la evaluación de las ideas hasta hace pocos meses apenas plasmadas en una hoja de papel, con la mayor atención que a partir de entonces se presta a los modelos de negocio y a las capacidades de gestión que subyacen en las ideas, la proliferación de incubadoras se ha reducido de forma significativa, pasando muchas de ellas a desempeñar la función de verdaderas incineradoras, a juzgar por la reducción del censo desde el inicio de aquella intensa corrección bursátil. También ha ocurrido lo propio con esa migración de profesionales bancarios y de la consultoría; los acrónimos B2B y B2C siguen siendo expresivos de sus dedicaciones profesionales, pero el significado que la ironía les asigna ahora es bien distinto: *back-to-banking* y *back-to-consulting*.

El propio concepto de «incubadoras» parece haber caído en desgracia. Compañías que se enorgullecían de tener esa condición reclaman ahora denominaciones con pretensiones diferenciadoras —«aceleradoras de negocios», «venture-catalyst», «e-campuses»—, tratando de incorporar algún atributo adicional a los propios que hasta entonces se consideraban suficientes para legitimar social y empresarialmente ese tipo de instituciones. Fue en esos momentos de ajustes valorativos cuando emergieron también algunos de sus errores originales y sus limitaciones frente a los fondos de capital riesgo: sus mayores costes operativos, el obligado mantenimiento de sus inversiones durante un mayor periodo de tiempo, las mayores dificultades de desinversión. Sin la posibilidad, sin la promesa, de cotizar en bolsa, es cierto que el atractivo de las incubadoras se iguala al de los fondos de capital riesgo, resultando incluso menos atractivas para muchos inversores.

También es cierto que muchas incubadoras son tan jóvenes e inexpertas como las empresas que tratan de incubar; más del 80% de las 350 incubadoras revisadas en un estudio llevado a cabo por un equipo de investigadores de la Harvard Business School, en junio de 2000, tenían menos de un año de vida. De hecho estaban inmersas en su propio proceso de incubación, sin poder asignar mucho tiempo para el desarrollo de las empresas que cobijaban. Sin esa mezcla equilibrada de empresas recién nacidas y aquellas otras con cierto grado de desarrollo, el concepto y la propia viabilidad de las incubadoras queda claramente desnaturalizado.

Al igual que con otros aspectos que han rodeado la explosión del nacimiento de empresas, sería un error deducir prematuramente la invalidez de modelos como los comentados, independientemente de aspectos concretos que sean objeto de adaptación. El apoyo a la concreción de iniciativas empresariales, la generación de incentivos y la reducción de obstáculos a la asignación de capital humano a la creación de empresas seguirá siendo uno de los principales exponentes de las economías más dinámicas y la condición necesaria para que, más allá de las correcciones de excesos o sobredosis inversoras, se mantengan ritmos de innovación y competencia propiciadores del crecimiento de la productividad.

Nuevas formas de organización

Hace tiempo que la organización de las empresas (la forma en que distribuyen sus actividades y la información, los procesos de adopción de sus decisiones) ha dejado de responder a patrones rígidos y estáticos. El aumento de la competencia, su progresiva extensión global, han determinado procesos de adaptación que, con la emergencia de las posibilidades que ofrece la red, se hacen aún más necesarios. Ahora, junto a la proliferación de empresas de nuevo cuño, con protagonistas y estilos distintos, la extensión de la conectividad a numerosos ámbitos de la actividad de las empresas obliga a cuestionar modelos de organización también en sectores originalmente distantes de los ocupados por los recién llegados. Los problemas de adaptación de las grandes compañías establecidas, de sus directivos, provienen precisamente de esa consideración de la tecnología como una herramienta más, en lugar de asignarle el papel central que cobra en las nuevas condiciones económicas.

Conceptos y modelos que han dispuesto de validez durante décadas están amenazados por una rápida obsolescencia. Los supuestos en los que se sustentaba la disciplina de la dirección de empresas, como disciplina académica y como práctica, son abandonados, se han constituido en caricaturas, en obstáculos a la teoría y en mayor medida a la práctica del *management,* como proclama uno de los principales guías académicos en esta área, el nonagenario Peter F. Drucker [18]. Es el momento de formular nuevas hipótesis que informen el estudio y la práctica de la gestión empresarial.

No sólo se acortan los ciclos de vida de algunos productos, también ocurre lo mismo con los ciclos estratégicos, consecuentemente con el carácter más efímero que presentan las ventajas competitivas. El propio concepto de estrategia, de planificación, se presenta desplazado, asimilado por esa idea hoy más dominante que impone la reinvención de la empresa desde dentro de la propia empresa: «Las compañías han de reproducir el viento creativo de la destrucción en el seno de las organizaciones si quieren alcanzar el viento creativo fuera de las mismas» [19]. Y hacerlo en el menor tiempo posible. La impaciencia parece presidir esa era de Internet; adaptación y planificación se han convertido en contrarios, a tenor del predicamento que cobran recomendaciones como las del cofundador de Sun Microsystems, Vinod Khosla, cuando subraya que lo fundamental ahora es tener un sentido de la dirección, una intuición acerca de dónde se sitúan las grandes oportunidades. Recomendaciones transmitidas desde finales de los ochenta a esas empresas constituidas en referencias emblemáticas de la nueva economía —AOL, Amazon, Excite, Juniper Networks, entre otras—, a las que Khosla ayudó a dar sus primeros pasos como consultor.

Es cierto que la dirección de empresas se presenta cada vez más como un proceso de descubrimiento, para albergar ideas, en mayor medida que un proceso de planificación en su acepción más convencional. Aunque sólo sea por la dificultad para concretar ejercicios de anticipación mínimamente vinculantes para la toma de decisiones empresariales, la gestión en nuestros días obliga a ensayar, a inventar y a cambiar ideas constantemente. Muchos principios, y no pocas virtudes, considerados propios de la economía pre-Internet mantienen su vigencia; algunos elementos centrales en la definición de la ventaja competitiva de las empresas (visión, liderazgo, innovación, calidad, barreras a la entrada, fidelización de los clientes, relaciones con socios) siguen teniendo una importancia crítica, pero ahora su vigencia es objeto de una revisión más frecuente.

Si ya la extensión de los ordenadores personales había modificado la lógica informacional que subyace en toda organización, estableciendo las bases para la descentralización en el seno de la empresa, para la difusión de la información y la desjerarquización de las mismas, la red acelera esos cambios, imponiendo formas de gestión más flexibles, en cierta medida ya visibles en algunos sectores. Sistemas de adopción de decisiones basados en organizaciones menos burocratizadas, más horizontales, en retículas basadas en la articulación de grupos humanos más reducidos, con mayor grado de autonomía y con vinculaciones laterales en lugar de las hasta ahora dominantes de carácter piramidal.

La amplia conectividad al cuestionar las formas de decisión lo hace con las formas de organización convencionales: con la estrecha relación existente entre la distribución de jerarquías, de poder, y la amplitud y relevancia de la información en los distintos niveles de las organizaciones. En los esquemas tradicionales, la información se administraba desde la cúspide de la organización, generando asimetrías y restricciones en los procesos de toma de decisiones que son poco compatibles con las exigencias que impone el nuevo entorno competitivo. Una vez queda eliminada esa disyuntiva entre alcance y riqueza o contenido de la información, la disposición tradicional de esos canales de transmisión, las jerarquías secuenciales de los modelos de organización convencionales, se hace prácticamente innecesaria: los agentes establecen entre sí la comunicación sobre la base de estándares compartidos y cada vez más abiertos. Es lo que Evans y Wurster [20] denominan «hiperarquía»: la vinculación definida según los hipervínculos de la World Wide Web.

La disposición de información de forma instantánea y a bajo coste entre numerosos grupos de personas dispersos geográficamente cuestiona el carácter centralizado de los procesos de decisión y de las burocracias asociadas a los mismos, imponiendo modelos más directamente basados en la coordinación de pequeños y especializados grupos, con tanta mayor autonomía cuanto mayor sea su grado de especialización [21]. Aumentan significativamente las posibilidades para una activa gestión del conocimiento, para compartir habilidades y experiencias en el seno de las organizaciones. Frente a los que definían las organizaciones jerárquicas, las intranets permiten estructuras más fluidas, basadas en la colaboración más estrecha entre grupos, con fronteras también más permeables al exterior. Son modelos que desafían las jerarquías al asumir la posibilidad de un acceso más amplio y simétrico a la información en el seno de las organizaciones. Aunque la nueva infraestructura digital permite reducciones significativas de los costes de coordinación, exigen también nuevas formas de coordinación, una mayor interoperatividad entre los grupos de personas, ahora más autónomos.

En la obtención de las ganancias de eficiencia asociadas a la e-economía, la tecnología es una condición necesaria, pero en modo alguno suficiente. La adaptación organizativa, la comprensión de los cambios en todos los niveles de la empresa, es fundamental. Así, la explotación de las ventajas derivadas de las plataformas de comercio entre empresas en la red (B2B) no queda garantizada por la disposición de la tecnología adecuada o la alianza más conveniente. Se precisan igualmente adaptaciones en los procesos internos, en las viejas jerarquías, en los ritmos de adopción de decisiones. La confianza en la autonomía de pequeñas unidades, la disposición de redes de información entre las mismas, permitiendo decisiones más rápidas, consecuentes con las nuevas posibilidades tecnológicas, pueden contribuir a la generación de esos ahorros que promete la digitalización comercial. Aunque sus costes sean menos explícitos que los tecnológicos, la necesaria reestructuración que ha de operarse en las empresas puede generar resistencias superiores a las ejercidas sobre la transición tecnológica.

Un nuevo concepto del trabajo

En el año 2005, el 25% del factor trabajo estará directamente relacionado con las tecnologías de la información. Si el proceso de globalización ya había cuestionado el cuerpo de ideas básicas sobre la organización empresarial, la revolución tecnológica, esta tercera revolución del conocimiento, ha acelerado la inestabilidad ideológica de las organizaciones. La rutina, la estabilidad, han quedado puestas en entredicho: han dejado de ser síntomas de buena organización. Las adormideras ya no sirven: es el momento de dejar mayor espacio a la fantasía, a la competencia. El éxito parece que ahora no radica tanto en seguir reglas, sino en romperlas y generar nuevas, si seguimos las orientaciones de Ridderstrale y Nordström (2000), autores de *Funky Business.* Desafiar las concepciones tradicionales y desplazarse rápidamente hacia las nuevas: pasar de ser ballenas a delfines. En la concreción de esas sugerentes recomendaciones, aun cuando se relativice su alcance o se lleven a cabo a un ritmo distinto, el capital humano es la pieza esencial.

Es la batalla por el talento la que caracteriza a la nueva economía, consecuente con esa alteración en la importancia relativa de los factores clásicos de la producción favorable al trabajo, es necesario puntualizar, con cierto grado de cualificación. Un trabajo obligado a diferenciarse de las capacidades susceptibles de ser aportadas por las máquinas, distante de la clásica caracterización de la «fuerza de trabajo», de la era industrial, menos codificado, más intensivo en capacidad de análisis y más susceptible de reprogramación en tiempo real, como señala Castells [22].

Un trabajo a la vez más autónomo e interrelacionado. Un retorno en cierta medida a formas de organización preindustriales, como destacan Malone y Laubacher [23], vinculadas en mayor grado al individuo, como unidad orgánica relevante, que a la gran empresa. Como señala Lipsey [24], si la primera revolución industrial sacó a las personas de sus casas, la actual las está devolviendo, con consecuencias económicas y sociales de alcance todavía por determinar. Hasta mediados del siglo XVIII, la casa era el centro físico de la economía; el campo producía la mayoría de los bienes de consumo; en las ciudades, los oficios también tenían su sede en la vivienda familiar. Ahora vuelven posibilidades de disociación (el tiempo dirá si una verdadera emancipación), de una proporción creciente, de la fuerza de trabajo de los rígidos y seriados procesos de producción vigentes hasta ahora.

Lo cierto es que las nuevas posibilidades tecnológicas están permitiendo un crecimiento significativo del autoempleo, de los trabajadores autónomos. Desde 1994 a 1999 el número de norteamericanos autoempleados, sin contar la agricultura, creció de forma significativa hasta alcanzar los 12,9 millones. Algo desconocido desde los sesenta. En realidad, durante las tres ultimas décadas el número de autoempleados creció a un ritmo superior al conjunto de la fuerza de trabajo. En 1999, el 10% de la fuerza de trabajo no agraria estaba autoempleada.

Junto a ello, las empresas acentúan el recurso al trabajo descentralizado, al teletrabajo, como una vía más de externalización de actividades. La fácil y abaratada conectividad, la más amplia ubicuidad que admiten determinados puestos de trabajo, su conexión con esa otra modalidad creciente en muchas economías industrializadas del trabajo a tiempo parcial, permiten la segregación de tareas, ya no tan estandarizadas como en fases anteriores de teletrabajo, sino algunas consideradas críticas, con consecuencias cuyo alcance excede a las estrictamente vinculadas a los sistemas de organización de la producción, para condicionar aspectos como la localización empresarial, las redes de transporte o la configuración de las modernas ciudades [25]. Tampoco son desdeñables las implicaciones sobre la capacidad de interlocución de los sindicatos. Uno de los factores que estuvo en el origen de la constitución del más reciente sindicato de empresas de la nueva economía, el suscitado por los trabajadores de servicios de atención al cliente de Amazon.com, fue precisamente la intención de la dirección de esta empresa de trasladar a Nueva Delhi parte de ese servicio, con costes por hora entre siete y diez veces inferiores, sin merma significativa en las cualificaciones de los trabajadores, que pasarían a desempeñar esta función en la red, a miles de kilómetros de la sede central de Amazon.com, en Seattle.

Si la red favorece la movilidad, las posibilidades de explorar nuevas oportunidades de trabajo, también hace lo propio con los mecanismos de búsqueda y reclutamiento. La interlocución entre trabajadores y empleadores ya está encontrando en Internet una facilidad y velocidad para la identificación de las ofertas y demandas cuyas consecuencias pueden ser importantes para el desempleo, los salarios y la productividad [26]. La reducción de los costes de búsqueda no sólo tiene su origen en el menor gasto asociado a los anuncios (situar un anuncio en una de esas plataformas en Internet cuesta menos del 5% que situarlo en la prensa), ni en el alcance potencial de los mismos, sino en la agilidad, en la facilidad de actualización y especialización que hace posible la red. Algunas plataformas disponen de algoritmos automáticos que permiten casar directamente las ofertas vacantes con las demandas y cada mañana notifican automáticamente a los trabajadores las posibles ofertas adecuadas a través del *e-mail*. De igual forma, muchos empleadores encuentran de gran utilidad revisar candidaturas administrando tests de aptitud directamente *online*, con la asistencia de compañías como eTest.net, una unidad del Management Psychology Group de Atlanta.

SISTEMA EDUCATIVO, «STOCK OPTIONS» Y CIBERSINDICATOS

La nueva economía incorpora como rasgo dominante el estar inmersa en una intensa dinámica de innovación, en ese proceso de «destrucción creativa» en la que el conocimiento es el elemento central. Hasta ahora las ganancias han sido superiores a los costes: las oportunidades de trabajo han sido superiores a las de destrucción. Pero la ansiedad también está presente en los trabajadores, estrechamente asociada a la desigual capacidad de adaptación a esas nuevas condiciones económicas.

La formación asume un carácter de primera magnitud. La innovación tecnológica demanda capacidad de adaptación del capital humano. Ya no es suficiente la obtenida antes de incorporarse al mundo laboral, es necesario el aprendizaje continuo: no sólo asimilar fundamentos técnicos, sino también la capacidad para crear, analizar y transformar información e interactuar de forma efectiva con los demás. Es el mantenimiento de la proximidad entre la creación del conocimiento, la investigación, y su difusión, a través de las más amplias modalidades de formación profesional, la que garantiza la necesaria adecuación de las empresas a las condiciones creadas por la nueva economía.

Una formación que incorpore directamente las nuevas tecnologías, más allá de la estrecha interpretación, del conocimiento del manejo de los ordenadores o la familiaridad con la navegación en Internet. Se trata, efectivamente, de algo más que «conectar» las aulas, añadiendo la flexibilización de los sistemas y posibilitar una mayor integración en métodos y de ámbitos. Trabajo y formación como algo estrechamente vinculado, en modo alguno diferenciados como si de un paréntesis se tratara, aprovechando las propias posibilidades que ofrece la red. La extensión de la formación *online*, el *e-learning* o el aprendizaje electrónico, se ha convertido en el sector de mayor crecimiento en la formación profesional. El más adecuado mecanismo para la formación permanente, dotado de la suficiente flexibilidad temporal y espacial.

La compañía Gartner Group ha estimado que en 2005, la presión económica y política, junto a la competencia, forzará a instituciones educativas de todo tipo a proporcionar más del 75% de sus programas y contenidos en forma electrónica. Por su parte, *Training Magazine* destaca que las empresas podrán ahorrar entre el 50% y el 70% de los costes de formación mediante el reemplazamiento del instructor por los medios electrónicos. W. R. Hambrecht & Co., una compañía de análisis de inversiones estadounidense, estima que se gastaron 500 millones de dólares en formación empresarial en Internet en 1999, proyectándose al 2002 una cifra superior a los 7.000 millones de dólares. No sorprende, por tanto, que sean las cotizaciones de las acciones de empresas suministradoras de *e-learning* las que se hayan comportado mejor en los índices Nasdaq, incluso después de las severas correcciones sufridas durante el año 2000.

La nueva economía está basada en el conocimiento, en las ideas y en las iniciativas. La demanda de profesionales cualificados, de talentos, ha sido y sigue siendo superior a la oferta. La presión, primero por encontrar a los mejores, y luego por evitar su huida, ha contribuido a la generación de todo tipo de innovaciones en los sistemas de retribución, incluida la concesión de parte del capital de las empresas. Éstas se han visto obligadas a redistribuir los excedentes, a favorecer en mayor medida que en el pasado a los suministradores de trabajo frente a los inversores, con el fin de optimizar el reclutamiento de profesionales capaces de generar ideas y proyectos rentables. La extensión de esas formas de compensación vinculadas a la evolución de la cotización de las acciones permitía de paso reducir los desembolsos en efectivo, de complicada y cara disposición, especialmente en las empresas recién nacidas y con riesgo relativamente elevado, como ha sido el caso de la mayoría de los denominados *start ups*.

Sin duda, la vía más utilizada para concretar esa vinculación de algunos trabajadores al riesgo de la empresa han sido las opciones sobre acciones *(stock options)*. Esta forma de compensación, ampliamente extendida como mecanismo de remuneración en el paraíso de la nueva economía, Silicon Valley, es prácticamente idéntica a las opciones sobre instrumentos financieros, en este caso acciones, introducidas desde hace años en todos los mercados. Como forma de remuneración, un plan típico de opciones concede a los empleados el derecho a comprar en el futuro, a un precio fijado de antemano (precio de ejercicio, normalmente la cotización vigente en el momento de la concesión de la opción), un número determinado de acciones de la compañía en la que prestan sus servicios. De esta forma, la compensación de los profesionales se vincula estrechamente a la de los accionistas, reduciendo los eventuales costes de agencia existentes en aquellas sociedades por acciones en las que es manifiesto el divorcio entre la propiedad y el control de la empresa, hasta el punto de que los objetivos de los directivos pueden distanciarse de los de los propietarios. Como es obvio, se trata de una forma de compensación que será tal si la evolución del precio de las acciones en el mercado es suficientemente elevado como para que merezca la pena ejercer ese derecho.

Lógicamente, la materialización de esa compra, el ejercicio de las opciones, dependerá del precio al que coticen las acciones en el mercado de contado; cuanto más elevado sea éste, más favorable será el ejercicio de la opción. Si, por el contrario, la cotización de la acción es demasiado baja, el ejercicio de la opción podría ser una mala decisión. Incluso, dependiendo de los países, si la cotización por encima de ese precio predeterminado de ejercicio no es suficientemente elevada, la conveniencia de su ejercicio puede verse condicionada por el régimen fiscal aplicable a las ganancias obtenidas con el mismo [27].

Su extensión ha estado estrechamente ligada a la pretensión de las compañías por ganar la lealtad de los mejores empleados, además de intentar atraer a los mejores talentos en un mercado de trabajo, cuya oferta era hasta hace poco manifiestamente insuficiente en relación con los proyectos empresariales vinculados a las tecnologías de la información. La política de remuneración de empleados valiosos obligaba así a los propietarios de numerosas empresas a renunciar a parte del capital, haciendo que dejara de ser esa frontera hasta hace poco diferenciadora entre dos grupos de agentes con intereses manifiestamente enfrentados.

En Estados Unidos no eran más de un millón quienes disfrutaban de ese derecho adicional en 1992, mientras que en agosto de 2000 superaban los diez millones. Es el componente dominante en los esquemas de remuneración de Silicon Valley, como da idea el hecho de que en 2000, antes del desplome bursátil, ninguno de los diez mejores salarios superaba el millón de dólares, pero en opciones las ganancias podrían llegar a superar los 120 millones de dólares, como era el caso de John Chambers, de Cisco, o de los directivos de Yahoo!, por citar los más conocidos.

La eficacia para vincular la lealtad de los profesionales, para generar los estímulos que se suponen asociados a opciones sobre las acciones, depende de la cotización de éstas: de una evolución superior al precio de ejercicio al que da derecho la opción. De no ser así, como ha ocurrido en algunas sociedades tras las fuertes caídas a partir del segundo trimestre de 2000, los planes de opciones pierden todo su atractivo, incluso en aquellas en las que sus consejos de administración fijaron un precio de ejercicio suficientemente bajo. Aunque no lo bastante en algunos casos, hasta el punto de que varias sociedades han vuelto a fijar un nuevo precio de ejercicio inferior al original. Una práctica objeto de razonable controversia, en la medida en que con la misma se genera o profundiza en esa asimetría entre propietarios y profesionales que se trataba de reducir cuando la presunción alcista de las cotizaciones bursátiles amparaba la recepción de esos planes de incentivación. Tanto más cuanto mayores sean las probabilidades de revisión en caso de evolución adversa, ocurriendo lo contrario en caso de evolución alcista de las cotizaciones de las acciones en el mercado de contado. Actuaciones que, en definitiva, pueden alimentar un efecto perverso: la «reapreciación» a la baja de esos precios de ejercicio a medida que la evolución de la compañía no permita satisfacer las aspiraciones de los profesionales, que podría llegar a interpretarse como remuneraciones al mal comportamiento.

Si en los años de mayor intensidad de la fiebre de Internet la extensión de la bonanza nublaba o desplazaba la consideración de otros problemas, con las primeras correcciones bursátiles emergieron algunos de ellos. Las lealtades trenzadas por esos esquemas de remuneración revelaron su fragilidad y, en todo caso, se puso de manifiesto la diferenciación entre los distintos grupos de trabajadores de la nueva economía. Afloraron conflictos y reivindicaciones propios del capitalismo predigital.

En octubre de 2000 un grupo de trabajadores se reunía en Seattle con un propósito bien distinto a la búsqueda de nuevas vías de aumento de la productividad o al lanzamiento de un *start up*. Pertenecían al importante departamento de servicio al cliente del líder en la venta de libros y discos, Amazon.com, y su propósito era fundar un sindicato. Largas jornadas, horas extraordinarias obligadas y cambios no programados en los horarios constituían las principales quejas del medio centenar de empleados del más famoso vendedor en la red, poco conciliables con esa afirmación de su fundador, Jeff Bezzos: «En esta compañía todos somos dueños. No necesitamos sindicatos» [28].

En aquella reunión quedó constituido el Comité provisional del Communications Workers of America, contando con el apoyo de la Washington Alliance of Technology Workers, organización sindical de trabajadores informáticos conocida por su defensa de los trabajadores temporales de Microsoft. Como destacaba Skapinker [29], la supuesta informalidad y flexibilidad laboral de la nueva economía, la ausencia de jerarquías y la facilidad para que los trabajadores se conviertan en propietarios no les impedía recurrir a una de las decisiones históricamente más arraigadas de los trabajadores, la articulación de mecanismos de defensa de sus derechos. Muchas compañías pueden exhibir sus rasgos diferenciales de empresas de alta tecnología, pero es cierto que las condiciones en las que se encuentran algunos de sus trabajadores se concilian escasamente con la renovación propia de la entrada en una nueva era, también en las relaciones laborales.

Esa condición de dueños que Bezzos reclamaba como elemento diferencial ya no exhibe los atractivos que tenía antes de las grandes purgas bursátiles. La severa corrección sufrida por los mercados de acciones de esas compañías ha hecho que las opciones sobre acciones de un buen número de empresas carezcan de valor al disponer de un precio de ejercicio inferior al del mercado, eliminando cualquier ventaja diferencial de los empleados en esas empresas, cuando no acaba revistiendo las características de una verdadera estafa para algunos de sus supuestos beneficiarios. En ese aspecto, las empresas de la nueva economía se asemejan cada día más a las tradicionales y sus trabajadores empiezan a echar de menos las remuneraciones convencionales, o al menos un mayor equilibrio entre ese idealizado sentido de la aventura y la seguridad que concede saber que se puede llegar a final de mes. Ahora también aflora con más intensidad el contraste de intereses entre distintos grupos en el seno de las empresas, especialmente si la supervivencia de éstas exige drásticas reducciones de costes.

Con todo, por intensa que sea la insatisfacción o la frustración de muchos trabajadores de la nueva economía, no es de esperar que sean ellos quienes inviertan esa tendencia explícita desde hace años, no sólo en Estados Unidos, al descenso de la afiliación sindical. Frente al 35% de los trabajadores estadounidenses que en los años cincuenta pertenecían a algún sindicato, al término de 2000 eran aproximadamente el 10%, una tendencia que ya tuvo en los procesos de reestructuración empresarial de los ochenta su principal determinante. Sin menoscabo de esa tendencia practicamente universal, la renovación económica en curso, la acelerada metamorfosis del capitalismo, reclama instituciones comunes, no muy distintas en sus finalidades que las que deberían asumir los modernos sindicatos.

Capítulo 4
Nuevas finanzas: complicidad y excesos

Si la manifestación de ritmos de crecimiento de la productividad es el exponente más característico de la nueva economía, su origen ha de localizarse en la intensificación de la inversión. La asignación de recursos a esas nuevas tecnologías, la apuesta a su eficiente movilización en un número creciente de aplicaciones y en el nacimiento de empresas, requiere mecanismos de financiación adecuados. Asimismo, necesita un sistema financiero en sintonía con esa dinámica de innovación, capaz de adecuar su estructura operativa e institucional con la flexibilidad suficiente y al ritmo necesario para que esas energías creativas encuentren la adecuada cobertura financiera para que puedan, cuando menos, ensayar su viabilidad. Esa canalización de recursos financieros hacia las distintas formas de inversión, la alimentación de esa dinámica de destrucción creativa y su extensión al conjunto de la economía, es la primera y más explícita manifestación de la complicidad que han mantenido los sistemas financieros (los mercados y las instituciones financieras) con el desarrollo de la nueva economía. Dicha complicidad se ha visto reforzada por el carácter de esos mercados y de sus operadores de usuarios preferentes de las aplicaciones derivadas de esas innovaciones en sus procesos de producción y distribución de servicios financieros.

Las transformaciones estructurales expresivas de la nueva economía, ya explícitas en Estados Unidos, no hubieran sido posibles sin la adecuación de las instituciones y sin el desarrollo de otras específicamente orientadas a la financiación de proyectos que incorporan factores de riesgo distintos y generalmente superiores a los habituales, así como en el alojamiento de dichos proyectos en los mercados de capitales (de bonos y de acciones), tradicionalmente reservados a las grandes empresas. El mayor equilibrio entre mercados e instituciones bancarias en la canalización de los flujos de ahorro, el protagonismo creciente de aquéllos, además de la comentada actitud hacia el riesgo del conjunto de los agentes económicos, han facilitado enormemente no sólo la traslación de esa dinámica de innovación tecnológica a las empresas, sino la emergencia de nuevas unidades empresariales, generadoras de iniciativas y proyectos específicos en torno a las tecnologías de la información. La elevada natalidad empresarial en los sectores con mayor crecimiento, la disposición de mecanismos orientados a facilitar su desarrollo inicial (como las distintas modalidades de fondos de capital-riesgo, y de «incubadoras» de empresas, muchas de ellas en las proximidades de las universidades), encuentra en la versatilidad de las fuentes de financiación uno de sus más importantes aliados.

Efectivamente, aquellos sistemas financieros, en los que los mercados de capitales ejercen un mayor protagonismo en la canalización del ahorro hacia la inversión, son los que se adecuan en mayor medida a las exigencias de esa dinámica de destrucción creativa, los que son capaces de llevar a cabo con mayor agilidad esa reasignación de capital a nuevas empresas y a nuevas actividades, a expensas de las declinantes. Son los que propician transformaciones en las propias empresas a través de fusiones, adquisiciones, subdivisiones, en unidades de negocio, etc., con el fin de adaptarse a las cambiantes exigencias del entorno competitivo o aprovechar las nuevas oportunidades que éste depara.

Las exigencias de distribución de información y de transparencia de las empresas constituyen una condición esencial que, aunque asumida de forma cada vez más explícita en la generalidad de los sistemas financieros, es más vinculante en aquellos en los que la desintermediación ha alcanzado un mayor desarrollo. Es decir, allí donde los mercados de capitales priman sobre los bancos. También son sistemas en los que la propiedad de las empresas se encuentra más dispersa y donde es más frecuente la movilidad en el control corporativo a través de operaciones de fusiones o adquisiciones de diverso tipo.

Se trata de una tendencia genérica, común a la transformación de los sistemas financieros de los países industrializados, que se acentúa tras los procesos de liberalización abordados a mediados de los ochenta, aunque a un ritmo desigual según las economías, traduciéndose en un mayor protagonismo de los mercados de capitales en la financiación de las empresas, frente al ejercido por la intermediación bancaria. Exponentes de esa revolución en las finanzas que tiene lugar en las dos últimas décadas del siglo XX, a los que junto a la erosión de las funciones tradicionales de los bancos se suma la intensificación de la dinámica de innovación financiera. La extensión a las finanzas de los contratos de opciones, futuros, *swaps*, la emergencia de los bonos de alto rendimiento (bonos basura) o la creciente «titulización» de todo tipo de activos forman parte de esa profunda renovación financiera, en la que las facilidades computacionales y las nuevas tecnologías de la información contribuyen de forma determinante.

Ha sido en Estados Unidos donde ese proceso de cambio y el consiguiente protagonismo de los mercados en la asignación de recursos financieros ha sido más acusado. A principios de los setenta aproximadamente el 75% de la financiación de las empresas estadounidenses se hacía mediante préstamos bancarios, mientras que ahora no alcanza al 50%, siendo los más impersonales mercados de capitales en sus distintas modalidades, incluyendo de forma destacada los que giran en torno a los fondos de capital riesgo, los que directamente posibilitan esa transferencia de recursos financieros. Junto al sistema financiero de Estados Unidos, el británico es el que ha evolucionado más rápidamente desde posiciones iniciales en las que la banca comercial disponía de un peso menor en la financiación de las empresas y, desde luego, en la propiedad de las mismas, hacia la desintermediación, reduciendo el peso específico de los bancos en la canalización del ahorro hacia la inversión.

Los sistemas financieros de Europa continental y Japón disponen de una estructura institucional más rígida, en la que la influencia de los bancos en la canalización de la financiación es dominante, como lo es en la propiedad de las principales empresas; la acumulación de activos físicos o los concretados, en empresas grandes y estables, es preferida a la financiación de nuevos proyectos, carentes del respaldo histórico, y de las habituales garantías reales. Así, con datos del Banco Central Europeo (BCE) (2001), se pone de manifiesto que en el área euro, al igual que en Japón, el principal instrumento de financiación externa de las empresas no financieras sigue siendo el préstamo bancario, mientras que en Estados Unidos los títulos representativos de deuda (fundamentalmente bonos) son más importantes. Ese contraste entre sistemas financieros no es en modo alguno irrelevante para el arraigo de algunos de los más importantes factores que caracterizan esa emergente ecología empresarial determinada por la nueva economía.

Esa andadura conjunta de las finanzas y la nueva economía no ha estado exenta de tensiones, de excesos en la valoración que han hecho los mercados de capitales de muchos proyectos empresariales, de exageraciones en definitiva, en la percepción del riesgo, que han dado lugar a episodios de especulación, a la formación de las «burbujas» financieras en la generalidad de los mercados de acciones. Los métodos de valoración de empresas, de evaluación de proyectos vinculados a la red, han asistido a una suerte de crisis, que en no pocos casos, particularmente a lo largo de la segunda mitad del año 2000, se han saldado con importantes correcciones en todos los mercados. Un *crash* por entregas, el originado en el Nasdaq neoyorquino a partir de marzo de 2000, que acabaría transmitiéndose a todos los mercados, incluidos los que albergan a las empresas de la vieja economía, hasta hacer acreedores a los meses finales de ese año de un registro histórico diferenciado en los periodos negros del pasado siglo. Si la etapa en que llegó a formarse la mayor creación de riqueza de la historia en torno a las empresas de la nueva economía fue excepcionalmente corta, mucho menor fue la que presidió la destrucción de gran parte de la misma, también, claro está, en términos estrictamente financieros.

La otra dirección de esa recíproca complicidad entre los sistemas financieros y el arraigo de la nueva economía se localiza en el carácter de aquéllos como usuarios cualificados de las innovaciones en las tecnologías de la información y de las telecomunicaciones, incorporadas con amplitud y rapidez a numerosas funciones de la actividad de las instituciones y de los mercados financieros. Si el propio desarrollo de la investigación en finanzas, la verificación de la misma y la búsqueda de aplicaciones, encontró en el aumento de la capacidad de computación su más importante aliado, la nueva frontera constituida por la creciente conectividad amplía significativamente las posibilidades de extensión de la actividad de los mercados, de su base de inversores y de aproximación a ese ideal de eficiencia en el proceso de formación de sus precios.

A diferencia de otras revoluciones tecnológicas, como las constituidas por el aumento y el abaratamiento de las facilidades de transporte a finales del siglo XIX, la concretada en las tecnologías de la información extiende sus efectos, en igual o mayor medida que a las manufacturas, a una amplia gama de servicios, con especial adecuación a los financieros. En contraste también con otros impulsos tecnológicos, los precios de esa infraestructura (los ordenadores, sus aplicaciones y los servicios de telecomunicaciones) experimentan significativas reducciones que facilitan la generalización de su empleo con mucha más rapidez que otras innovaciones, anticipando también la generación de las correspondientes ganancias de eficiencia.

El liderazgo ejercido a través de la inversión en esas tecnologías ha situado a ese sector, junto al del transporte y el de distribución comercial, en los principales estímulos de la transición desde la vieja a la nueva economía. La dinámica específica de innovación financiera, de creación de nuevos productos y servicios financieros, ha aprovechado enormemente esas nuevas posibilidades asociadas al aumento de la capacidad de computación y de la conectividad, para generar también incrementos importantes en la productividad del trabajo y mantener con las bases de clientes una más próxima y eficaz interlocución. Este tipo de transformaciones en la actividad financiera estrechamente vinculadas a la incorporación de las tecnologías de la información y las telecomunicaciones son comentadas en la primera parte de este capítulo, para abordar después el análisis de esa otra dirección de complicidad, más directamente asociada al impacto que la nueva economía está teniendo en la actividad de los mercados financieros.

Nueva banca: nuevos impulsos a la desintermediación

La banca es información. La función que realizan los bancos, la intermediación entre ahorradores e inversores, es intensiva en información, como lo es el conjunto de las distintas actividades de la industria de servicios financieros. La racionalización de esa actividad, la búsqueda de una mayor eficiencia, se ha llevado a cabo, por tanto, mediante mejoras en la calidad de la información, en los mecanismos de interlocución con los clientes y en el procesamiento y transmisión interna de la misma, y así seguirá haciéndolo.

Sobre estas bases, no es de extrañar que, al igual que otras instituciones y mercados financieros, las empresas bancarias hayan mostrado una gran recepción a todo tipo de innovaciones en el sector de las tecnologías de la información y de las comunicaciones sobre el que se asienta la renovación económica en curso. La actividad bancaria en particular, lleva años inmersa en una gradual asimilación de cualquier modalidad de innovación tecnológica que le permita ampliar su mercado y, en todo caso, generar ganancias de productividad: reducir el peso específico del coste del factor trabajo y, en algunos países como los de Europa continental, el de la amplia red de oficinas.

La introducción de nuevos canales de distribución, la existencia de plataformas electrónicas de contratación, es muy anterior a la emergencia de las facilidades tecnológicas más representativas de la nueva economía. En el segmento de banca de empresas, por ejemplo, la interlocución electrónica es algo extendido desde hace años, al tiempo que las entidades financieras han tenido ocasión de verificar el impacto derivado del acceso directo de los grandes clientes a los mercados: de la desintermediación en la más literal de las acepciones, de canalización de los flujos de crédito directamente a sus usuarios finales. Hace tiempo que la afirmación de que las grandes empresas ya no necesitan a los bancos ha dejado de ser una provocación, es un hecho que se extiende hacia clientes de menor tamaño. En realidad, el acceso a los mercados financieros de algunas empresas tiene lugar en mejores condiciones de precio que el que pueden conseguir muchas entidades bancarias.

Con la extensión de Internet, con las posibilidades que ofrece esa creciente conectividad, la banca multicanal deja de ser un segmento diferenciado en razón de determinadas tipologías de clientes o de operaciones, para ser asimilada por esa nueva forma de interlocución global. Internet, en efecto, es algo más que un canal de distribución adicional: es la vía universal en la que se integrarán progresivamente la mayor parte de las relaciones de los bancos con sus clientes y las de aquéllos en el seno de sus organizaciones. Es el principal factor determinante de una nueva etapa (la cuarta) en la desintermediación financiera en los términos con que la caracterizan Manzano y Ruiz [1] y Soriano [2]. Por todo ello, más allá del impacto sobre la función comercial, las posibilidades asociadas a la explosión de la conectividad constituyen el principal revulsivo en la formulación de las estrategias bancarias, especialmente en el área de banca al por menor.

Internet se presenta en primer lugar como una vía que reduce significativamente las barreras de entrada en esta actividad, permitiendo unos costes de establecimiento más bajos, de especial relevancia en aquellos sistemas bancarios en los que las regulaciones o la existencia de una amplia red de oficinas actúan como factores disuasores del establecimiento de competidores. Aun cuando, al menos hasta el momento, la captación de clientes en la red sea relativamente cara, su coste puede ser inferior a la disposición de los mismos mediante las adquisiciones o fusiones en que se concreta el proceso de consolidación que se está produciendo en la industria bancaria y, en consecuencia, empieza a ser considerado como una vía alternativa de acceso a nuevos mercados. A medio plazo, esa diferencia en el coste por transacción favorable a la banca *online* frente a las tradicionales, amparadas en las infraestructuras físicas, acabará estimulando la migración hacia la red, especialmente en los segmentos de clientes más jóvenes.

Philip Evans y Thomas S. Wurster [3] han extendido el concepto de «deconstrucción», el desmantelamiento y la reformulación de las estructuras empresariales tradicionales resultante de la nueva economía de la información, a la actividad bancaria, en especial a la practicada con familias y pequeñas empresas, la banca al por menor. Un modelo de negocio basado en la existencia de una cadena de valor integrada horizontal y verticalmente, en la que se generan múltiples productos que son empaquetados y vendidos a través de un conjunto de canales de distribución que las entidades mantienen en propiedad. A pesar de sus elevados costes fijos, la generación de economías de escala en los mismos ha permitido hasta ahora su mantenimiento, e incluso su ampliación en la mayoría de los sistemas bancarios nacionales [4].

En un modelo tal, es la relación con los clientes la que actúa como principal unidad de valor, en torno a la cual se tratan de optimizar los sistemas de distribución. Aun cuando algunos productos generen márgenes reducidos o negativos, la consolidación de esa relación actúa como prioritaria, ya que a través de ella se distribuirán otros en los que los márgenes sean superiores. En este esquema, de subsidios cruzados entre clientes y entre productos, se asienta la banca al por menor tradicional que dejará de ser eficaz en la medida en que se extiendan las posibilidades derivadas del uso de Internet.

La extensión de la red, la accesibilidad a facilidades de *software* específico para finanzas personales, constituyendo un poderoso incentivo para la captación de clientes, también contribuye a la desaparición de las ventajas en las que se ha asentado la banca tradicional. Se altera de forma sustancial la relación de poder hasta ahora dominante en las relaciones proveedor-cliente y, con ella, la relación de exclusividad. Es el cliente el que pasa a disponer de mayores opciones, de una capacidad de elección de productos y servicios en los que las ventajas de esa distribución común en que se asienta la actividad tradicional —la posibilidad del *one stop shopping*— dejan de ser tan vinculantes. La simultánea disposición de información en tiempo real de diversos proveedores de servicios financieros contribuye a la eliminación de algunas de las asimetrías informativas que tradicionalmente han favorecido a los oferentes; la elección entre ofertas de distintas instituciones, el aprovechamiento de las ventajas derivadas de la especialización, es ahora mucho más factible que en las condiciones tradicionales basadas en esa «fidelización» de la entidad, de su oferta conjunta, en mayor medida que en las ventajas de cada uno de sus productos. Los clientes pueden ahora disponer con suficiente rapidez y con mayor transparencia de las ofertas relevantes y de las herramientas necesarias para su casi instantánea comparación, moviendo sus recursos financieros, decidiendo sus operaciones de endeudamiento, entre distintas entidades en función del precio y otras condiciones básicas para la elección.

Al igual que ocurre en algunas modalidades de *business to consumer*, el cliente de servicios financieros puede llegar a subastar sus necesidades de servicios financieros entre las entidades financieras situadas en la red, dificultando las posibilidades de venta cruzada, rompiendo definitivamente ese vínculo en el que se basan hasta ahora las relaciones bancarias, o cuando menos la relación coste-beneficio en que se amparan actualmente esos subsidios entre las diferentes modalidades de servicios financieros. Si la información sobre la conducta y las preferencias de los consumidores de servicios financieros eran importantes, en el nuevo entorno competitivo que se abre con la extensión de la conectividad cobra una mayor trascendencia. Además, esa información sobre los consumidores deja de ser exclusiva y pasa a distribuirse entre tantas entidades financieras como sean las conectadas con los clientes. Y no sólo entre las empresas bancarias ya existentes, sino también entre aquellos otros recién llegados, no necesariamente bancos convencionales, dispuestos a explotar las oportunidades que esa «deconstrucción» ofrece: constituyéndose en una nueva clase de intermediarios financieros exclusivamente en la red. El caso de algunos grandes almacenes o de las compañías fabricantes de automóviles, que al tiempo que amplían sus actividades de comercio electrónico lo hacen introduciéndose en los servicios financieros, es suficientemente representativo al respecto, aunque en modo alguno el único.

Asimismo, aparecen intermediarios específicos que ofrecen nuevos y especializados portales en la red a los que pueden acceder los proveedores tradicionales de servicios financieros; capacidad tecnológica, en definitiva, susceptible de ser utilizada simultáneamente por varias entidades financieras, con independencia de que dispongan de sistemas tecnológicos propios para su presencia en la red. Plataformas que también facilitan a los clientes la posibilidad de contrastar de inmediato las distintas ofertas, al tiempo que obligan a los oferentes a diferenciar suficientemente sus servicios o a mejorar sus condiciones de precio.

Esa «deconstrucción» del modelo tradicional de banca al por menor no es sinónimo de destrucción, pero sí obliga a sus oferentes a llevar a cabo alteraciones estratégicas de alcance, y con cierta agilidad. La visión integrada del modelo de negocio y de organización, esa universalización de la oferta, ha de dar paso a una mayor especialización por servicios, en menor medida que por tipo de clientes, como hasta ahora ha sido la dominante en la banca comercial. De poco sirve ampararse en la escasa familiarización de los clientes actuales con las nuevas posibilidades de interlocución, de acceso a la red, si los conectados, además de los más jóvenes, resulta que son los clientes más rentables, los más activos, los que disponen de un mayor nivel de renta y riqueza financiera, tenderán también a ser los que disponen de un mayor grado de alfabetización en las nuevas tecnologías de la información. Evans y Wurster [5] nos recuerdan al respecto que en Estados Unidos el 12% de las familias que a principios del año 2000 utilizaban algún tipo de *software* financiero para la administración de sus finanzas contribuían con aproximadamente el 75% de los beneficios del sistema bancario. En este país, según distintas estimaciones, más del 15% de las cuentas bancarias son gestionadas *online*, estimándose alcancen el 35% en el año 2003. Un hecho que no cabe esperar sea tendencialmente muy distinto en los sistemas europeos, también en los del continente, donde la conocida regla del 20-80 (el 20% de los clientes bancarios contribuyen al 80% de los beneficios de las entidades) puede extenderse a los que disponen de facilidades tecnológicas suficientes para ejercer esa capacidad de elección en la que cada día de forma más explicita derivará la banca al por menor.

De forma similar a otras barreras a la entrada de competidores, la red de oficinas pierde gran parte de su relevancia defensiva a medida que las nuevas formas de transmisión de información y de interlocución con los clientes se hacen más amplias e interactivas. Las que hasta ahora eran en muchos casos rentables inversiones acaban convirtiéndose en activos sujetos a una rápida obsolescencia, que en sí mismos pueden constituir un freno a la necesaria y rápida adaptación a ese nuevo entorno de interlocución comercial. Un nuevo entorno, conviene recordar, susceptible de ser aprovechado por nuevos entrantes más ligeros de las cargas propias de la vieja economía, de la banca de despacho y mostrador.

Las previsiones de la mayoría de los analistas, incluidas las agencias de calificación crediticia, apuntan en esa dirección de significativos ajustes en la red de oficinas convencionales, físicas, de los bancos europeos a medida que Internet vaya hospedando con la fluidez y seguridad suficientes a todas las gamas de servicios financieros. Aunque la coexistencia entre ambas redes —la física y la virtual— sea la que siga dominando la actividad bancaria minorista, el protagonismo creciente de la segunda pondrá cada día más de manifiesto los costes asociados al mantenimiento de la primera, presionando sobre ese ajuste en el censo de oferentes, ya explícito en algunos sistemas bancarios del área euro, aunque en menor medida que la que se registró en el sistema estadounidense a comienzos de la pasada década. Distintos factores (regulación laboral, resistencias culturales), más allá de la percepción de los directivos bancarios, dificultan una respuesta tan expeditiva como la que tuvo lugar al otro lado del Atlántico, aunque, a juzgar por las actuaciones específicas de algunos bancos, no puede decirse que el conjunto de los sistemas del área euro estén reaccionando de forma equivalente, tal como se ilustra en Soriano [6] y en AFI (2000b).

De la rapidez con que las entidades establecidas lleven a cabo esa transición, hacia un modelo de negocio y de organización acorde con las tendencias señaladas, dependerá la facilidad con que acudan nuevos oferentes ya claramente especializados en la banca *online*, que otorguen verosimilitud a la conocida afirmación de Bill Gates: «la banca es necesaria, los bancos no». Por el momento, la banca *online* se combina con la *off line*, los ladrillos con los *clicks*, aunque en un equilibrio manifiestamente transitorio, hasta tanto los servicios en la red adquieran la amplitud equivalente a los presenciales y se extienda la posibilidad de acceso a los mismos a través de canales adicionales a los actualmente existentes, particularmente el teléfono móvil. La rapidez de esa transición va a depender, ya tenemos evidencias suficientes de ello, no tanto del contraste de costes operativos entre los canales tradicionales y la red, sino de la capacidad de reclutamiento de clientes en la red. De ahí la importancia de que esa transformación operativa se lleve a cabo desde la base de clientes de que disponen los bancos tradicionales. En realidad es lo que ya está ocurriendo: el crecimiento de la banca *online* está siendo mayoritariamente registrado por bancos tradicionales, conscientes de que si no son ellos los que ocupan ese espacio otros lo harán; más vale la autocanibalización que la ejercida por los competidores.

En ese contexto hay que contemplar las alianzas entre entidades financieras y algunos de los principales portales de Internet. La oferta por algunos de éstos de servicios de agregación financiera, posibilitando que el internauta disponga de los elementos básicos para la gestión de sus finanzas personales (estados financieros, facturas, pagos, etc.) en un único sitio de la red, obliga a los bancos a considerar esas alianzas como una opción cuya importancia estratégica excede a la importante pretensión de compartir costes. Hoy, la vía más rápida y eficiente para extender los servicios financieros en la red es la vinculación con las empresas virtuales (portales, mercados digitales, plataformas de contenidos especializados, etc.). De esas alianzas, de las que ya hay evidencias suficientes en Europa, las empresas virtuales también obtendrán ventajas facilitando la realización de los pagos de servicios en la red, especialmente a tenor de la gradual eliminación de la gratuidad hasta ahora dominante.

La contrapartida a esa previsible migración a la red de la actividad bancaria es la emergencia de nuevos riesgos; derivados de eventuales problemas de inseguridad de las transacciones. El Comité de Supervisión Bancaria de Basilea, cuyos trabajos se efectúan habitualmente en el seno del Banco de Pagos Internacionales (BIS), advertía en un informe de mayo de 2001 acerca de esos riesgos, e identificaba un conjunto de catorce principios que deberían guiar la gestión de los mismos.

Mercados financieros virtuales

La intensidad en información que incorporan las transacciones en los mercados financieros, la competencia existente en los mismos, el descenso de sus costes de transacción, su creciente grado de liquidez, incluso su anticipación en la incorporación de mecanismos electrónicos de contratación, los convierte en la referencia más paradigmática de lo que puede ser el comercio en la red. Esos mercados —los de divisas, los de acciones y los de bonos— han estado en el centro de esta nueva revolución de la información. En cualquiera de ellos el objeto de transacción es básicamente información: la transferencia de la propiedad del activo financiero objeto de intercambio.

Si el mercado de acciones es el más conocido, el que dispone de un mayor volumen transaccional es aquel cuyo objeto de contratación son las divisas: los mercados de cambio. Más de 1,5 billones de dólares, según la última de las periódicas estimaciones del BIS, totalizan las transacciones que diariamente se llevan a cabo en este mercado. Desde hace años, los principales operadores, *brokers* especializados y entidades bancarias, realizan sus transacciones electrónicamente, lo que ha contribuido a aumentar su grado de eficiencia, con márgenes cada vez más estrechos entre las operaciones de compra y de venta.

La ubicación en la red, la constitución de plataformas de contratación similares a las que se utilizan en los mercados para el comercio entre empresas (B2B), vino del acuerdo, en agosto de 2000, entre tres de los principales participantes tradicionales en los mercados de divisas, responsables del 28% del volumen de transacciones: Deutsche, Chase Manhattan y Citigroup. A esa alianza, junto a la agencia Reuters, se han incorporado casi medio centenar de bancos internacionales, y algunos inversores institucionales y grandes empresas, configurando la plataforma ATRIAX, desde la que se trata de ofrecer una amplia gama de servicios ligados a la operativa en el mercado de divisas en Internet; más del 50% del volumen transaccional diario del mercado pasará a integrase en esa plataforma. Sus servicios de contratación *online* en más de cien monedas se ofrecen a empresas, fondos de inversión y otros grandes operadores en los mercados de divisas, con las consiguientes ganancias de eficiencia. Una respuesta ante la ya menguada generación de márgenes que posibilitan las transacciones en un mercado en el que además de la reducción en el número de monedas activas (el nacimiento del euro es suficientemente expresivo al respecto), es objeto de presión por un continuo estrechamiento de los diferenciales entre las operaciones de compra y venta y un no menos evidente descenso de las numerosas operaciones de especulación.

Una plataforma adicional es FX Alliance LLC (FXall), creada en junio de 2000 por otros siete de los principales operadores —Morgan Stanley Dean Witter, J. P. Morgan, Goldman Sachs Group, Bank of America, Crédit Suisse First Boston, HSBC Holdings y UBS Warburg—, a la que se han añadido otros seis bancos, totalizando una cuota de mercado del 31,5%. Orientada a compañías multinacionales e inversores institucionales, también aspira a reflejar los mejores precios de cada uno de los participantes, a su vez competidores, y ofrecer la información y análisis de mercado de los mismos.

La posibilidad de que éstas u otras plataformas adicionales que terminen configurándose permitan el acceso a la contratación de otro tipo de operadores, más allá de los mayoristas tradicionales, puede constituir, además de mejoras en el funcionamiento del mercado (de su grado de liquidez, de la rapidez operativa, de la transparencia), una importante ventaja para numerosas empresas, hasta ahora obligadas a pasar por la mediación de esos agentes: a obtener cotizaciones de ellos, fundamentalmente de los bancos, con el consiguiente consumo de tiempo y gastos derivados de la mediación. Como consecuencia de ese más amplio acceso al mercado de los oferentes y demandantes finales, su transparencia también se verá fortalecida; se dejará de depender de los sistemas propietarios que ofrecen los grandes bancos o del hasta ahora ineficiente recorrido por los múltiples *websites* en busca de la mejor cotización.

FXTrade nació en marzo de 2001, con unos destinatarios bien distintos a los operadores mayoristas. Esa plataforma para el intercambio de divisas está dirigida a los pequeños inversores, con necesidades de cobertura del riesgo de cambio, permitiendo transacciones en las principales divisas desde un montante mínimo equivalente a un dólar. En la confianza de la eficiencia de su tecnología (capaz de ejecutar cien transacciones por segundo), las comisiones o *spreads* que se aplican a las transacciones (de 0,02% del valor de la transacción) son inferiores a las vigentes en la mayoría de las transacciones entre mayoristas.

Aunque más lentamente, las transacciones *online* también están invadiendo los todavía fragmentados mercados de bonos internacionales. Son ya numerosas las emisiones que directamente se ofrecen en Internet, incluidas las de algunos prestatarios soberanos, contribuyendo a una transformación no menos radical que la observada en los otros mercados. Si las ventajas en términos de mayor transparencia, menores costes operativos y mayor grado de liquidez se presentan evidentes, las contrapartidas para la industria, los costes de la adaptación, no son menos obvios. El mercado global de bonos en sus distintas modalidades sigue siendo el mercado financiero más importante por razón del número de emisiones, con un valor nominal total muy superior al de todos los mercados de acciones agregados. Es precisamente la coexistencia de esta amplia dimensión con la heterogeneidad de emisiones y emisores, la desigual magnitud de las mismas y el correspondiente grado de especialización entre los operadores, lo que dificulta la estandarización de su comercialización, al tiempo que permite confiar en las promesas asociadas a su ubicación en la red. Plataformas como BrokerTec, EuroMTS o BondClicks.com, entre otras, aspiran a la creación de mercados centrales de bonos, dotándolos de suficiente liquidez y reduciendo las barreras entre emisores e inversores. Esas ventajas en las que se confía habrán de ser más explícitas cuando, como resultado de la reducción de la deuda pública en los principales países industrializados, el mercado trate de erigirse en una verdadera alternativa a otras modalidades de financiación de las empresas privadas, con gran independencia de su tamaño y de sus características sectoriales.

Ha sido en los mercados de acciones donde la extensión de la red ha sido paralela a su mayor grado de popularización, definiendo una activa complicidad con la emergencia de la nueva economía. Aunque en las dos últimas décadas del siglo XX el creciente atractivo de los mercados de acciones para un número cada vez más amplio de inversores forma parte de la profunda transformación de las finanzas, dispone de motivaciones específicas en los amplios procesos de privatización que se llevan a cabo en numerosos países, en la evolución demográfica y en su impacto potencial sobre los sistemas públicos de pensiones, así como en la versatilidad de los vehículos de inversión, de forma especial los articulados en torno a las distintas modalidades de inversión colectiva, como los fondos de inversión y de pensiones. Todo ello encuentra en las nuevas facilidades tecnológicas un aliado importante, que más recientemente se manifiesta también en la genérica preferencia de los inversores particulares por los mercados de acciones.

Hacía años que la conexión electrónica había desprovisto a las bolsas de esa dramatización presencial tan característica y que, todavía hoy, atrae la atención de los profanos cuando es posible encontrar emplazamientos donde el bullicio, la específica gesticulación entre los agentes representantes de los compradores y vendedores (incluso la complicidad malsana) acompaña la ejecución de sus órdenes. Es verdad que algunos cronistas bursátiles siguen hablando del *parquet* como si de aquel testigo de las transacciones se tratara, cuando en realidad una proporción creciente de esos intercambios de acciones, en general de valores mobiliarios, tiene lugar fuera de él, a través de mecanismos electrónicos de contratación. La simbología del mercado como lugar físico de encuentro, las «barandillas» y los «barandilleros», ya son poco más que referencias testimoniales nada representativas de lo que en realidad es el mercado de acciones. En la mayoría de los mercados la mano invisible se aloja desde hace años en mecanismos de conexión electrónica y, ahora, en el ciberespacio. Internet ha terminado de virtualizar las relaciones básicas entre los inversores y el mercado y entre los distintos mercados, que han visto acelerada su dinámica de integración, de verdadera globalización, dejando prácticamente obsoleta la demarcación nacional, acentuando su desnaturalización, su carácter de apátrida.

Desde cualquier lugar del mundo, con un ordenador personal o un teléfono móvil, puede disponerse en tiempo real de la información relevante para ejecutar las órdenes bursátiles, con más rapidez y menores costes que en la mediación tradicional. La sustitución de los *brokers* por Internet ha derivado en una intensificación de la competencia que favorece la continuidad de esa tendencia a la reducción de los costes transaccionales y a la disposición de mayores servicios. Ambas tendencias no han impedido que incluso en los sistemas más «bancarizados» como los del continente europeo, la presencia del *brokerage* en la red disponga de una importancia estratégica, al menos para las entidades con una mayor cuota de mercado en la actividad al por menor.

La popularización de los Nasdaqs

La emergencia de la nueva economía, el nacimiento de numerosas empresas con pretensiones por ensanchar su base de capital y la de un número creciente de inversores por participar en la fiebre de las nuevas tecnologías, explica en gran medida el espectacular crecimiento de los mercados de renta variable durante la década final del siglo XX. Esa conexión entre la financiación de las empresas recién nacidas y los mercados de acciones, aunque de extensión reciente a otros países, ha encontrado en la estructura del sistema financiero de Estados Unidos el hábitat más propicio para el desarrollo de la nueva economía, tanto mayor cuanto más reducidos han sido los tipos de interés en términos reales y menores las necesidades de financiación pública durante buena parte del periodo en el que han tenido lugar esas transformaciones. Los mercados de acciones, y en menor medida los de bonos privados, tradicionalmente orientados a la financiación de industrias intensivas en capital que ofrecían activos tangibles como colateral a los fondos recibidos, desplazaron rápidamente su atención a las nuevas empresas, que en su mayoría no tienen ningún tipo de activos, al menos de naturaleza similar a los tradicionales.

La canalización del ahorro hacia esas empresas representativas de la nueva economía ha posibilitado el nacimiento de mercados de acciones específicos, en gran medida siguiendo el patrón del National Association of Securities Dealers Automated Quotations (Nasdaq)[7] estadounidense, cuyo crecimiento en volumen de transacciones ha sido tan sorprendente como el nivel alcanzado por sus cotizaciones hasta la intensa corrección iniciada en marzo de 2000. En realidad, puede hablarse de un renacimiento de este mercado que, en numerosas ocasiones, se asocia estrechamente a la aceleración de la dinámica de innovación tecnológica y al resurgir de Estados Unidos como potencia económica. Hoy es el segundo mercado más importante del mundo, el primero por número de compañías registradas.

El Nasdaq nació en 1971 como un sistema de diseminación de información en los mercados no organizados, OTC (Over The

Counter), en los que las transacciones son acordadas bilateralmente entre las partes y, en consecuencia, sus precios son fijados directamente por los operadores en lugar del sistema de subasta de la generalidad de los que están organizados. En ese mercado, como en los que han surgido en el resto del mundo (amparados en la denominación «nuevos mercados»), se registran las acciones de aquellas empresas, además de las pertenecientes al cada vez más amplio sector de las tecnologías de la información y de las telecomunicaciones; disponen de un potencial de crecimiento, y en todo caso de una volatilidad en su precio relativamente elevada. Ésta aconseja segregarlas de los demás mercados organizados, configurando una plataforma de negociación específica, susceptible de admitir variaciones en el precio en una misma jornada de contratación muy superiores a las aceptadas en los mercados de acciones tradicionales.

Hasta febrero de 1971 el único mercado de acciones relevante en Estados Unidos era el New York Stock Exchange (NYSE) creado en 1792. Sus estrictas exigencias de admisión a cotización de nuevas empresas dejaban fuera a otras muchas que no disponían del capital inicial necesario (60 millones de dólares, actualmente). Las compañías listadas en este mercado son aquellas que, además de un elevado volumen de capitalización, han de exhibir una suficientemente acreditada historia de beneficios y transparencia informativa. Su índice, el Dow Jones Industrial Average (DJIA), está compuesto de los treinta valores más importantes del mercado: veintiocho del NYSE y tres del Nasdaq[8]. Junto al NYSE, el American Stock Exchange (AMEX) agrupaba igualmente a compañías listadas, aunque su capitalización de mercado era significativamente inferior a las que cotizan en el primero, lo que le ha mantenido a la sombra de aquél prácticamente desde su nacimiento, hace casi ciento sesenta años, hasta su fusión con Nasdaq en 1999.

La creación del Nasdaq, además de reducir ese montante máximo exigido en el NYSE, también lo hizo con otras condiciones de acceso no menos selectivas —beneficios mínimos en los tres últimos ejercicios económicos y costes de registro relativamente elevados—, excluyentes de aquellas empresas que, por razón del sector en el que se ubican o la incertidumbre que acompaña su plan de negocio, no pueden satisfacer tales condiciones. Tamaño y riesgo relativo son, por tanto, los dos principales rasgos diferenciadores de ambos mercados. En el Nasdaq, las empresas pueden empezar a cotizar el mismo año de su nacimiento, sin necesidad de exhibir beneficios y, en consecuencia, es lógico que la volatilidad asociada al comportamiento de esos valores sea más acusada que la que muestran los representativos de las empresas con mayor tradición. Mientras el NYSE funciona sobre la base de un sistema centralizado, operado en gran medida por especialistas que dirigen los flujos de órdenes sobre las acciones registradas, y eventualmente como compradores y vendedores de última instancia, en el Nasdaq el sistema es completamente descentralizado, se extiende a través de las pantallas de miles de operadores. Las diferencias también existen en los mecanismos de contratación: mientras el NYSE es básicamente un mercado de subastas o de órdenes, el Nasdaq es un mercado de cotizaciones, en el que los operadores cotizan los precios a los que están dispuestos a comprar o vender acciones.

Incluso después de las severas correcciones que tuvieron lugar a partir de marzo de 2000, el Nasdaq seguía siendo considerado como la «tierra prometida» de las empresas con mayor crecimiento. La mayoría de las que cotizan en él empezaron a hacerlo hace menos de treinta años: Microsoft en 1986, luego vinieron Intel, Cisco, Sun Microsystem, Oracle, Conexant, Amazon, etc. Muchas de estas compañías tienen un origen imposible de conciliar con las exigencias del más selectivo NYSE, pero su evolución ha contribuido decisivamente a hacer de este «segundo mercado» en el año 2000 el más importante del mundo por volumen de capitalización (equivalente a las restantes bolsas del mundo juntas). Es también el segundo mercado del mundo por volumen de contratación, el tercero por número de compañías que cotizan en el mismo y el cuarto por incorporación de nuevas empresas. Algunas de las compañías son de gran éxito, y muchas más cuentan con una controvertida trayectoria, con una liquidez irregular y con cuestionables resultados. Las productoras de *hardware*, y todas excepto dos de *software*, cotizan en ese mercado; con todo, sólo el 22,3% de las empresas son tecnológicas, el 52% pertenecen genéricamente al sector industrial, el 17%

al financiero y el 4% al de biotecnología. En total, las compañías del Nasdaq fueron las responsables en el año 2000 del 25% de los empleos de Estados Unidos; su índice lo integran los principales valores de los casi 5.000 que cotizan en ese mercado[9].

Sin duda, es el mercado con mayor proyección global, no sólo por reunir inversores procedentes de todo el mundo, incluso mediante la apertura de mercados en Japón, Londres y Hong Kong, sino igualmente porque en su seno cotiza un mayor número de empresas extranjeras (un 10% del total) que en cualquier otro mercado de acciones, durante las veinticuatro horas del día y siete días a la semana. Como si quisiera marcar aún más las distancias con el *parquet* de mármol del NYSE, en 1999 abandonó su emplazamiento en la emblemática Wall Street para ubicarse en el popular escaparate de Times Square.

Algunos países europeos crearon mercados similares a partir de 1996, aunque sin el alcance del estadounidense. El Nouveau Marché en Francia, el Nuevo Mercado español o el Neuer Markt alemán. Este último, con sede en Francfort, fue fundado en 1997; es el de mayor volumen de capitalización de Europa y se ha convertido en el dominante en valores tecnológicos, haciendo lo propio con sus índices, el Nemax y el más selectivo Nemax-50. De las trescientas cuarenta compañías listadas a principios de 2001, cincuenta y seis eran de Internet, cuarenta y ocho pertenecían a otros sectores de alta tecnología y cuarenta y cinco estaban en la industria de *software*. Entre las razones de su éxito destaca la apertura informativa como uno de los factores principales: las empresas cotizadas están obligadas a informar de la evolución de sus beneficios trimestralmente, al tiempo que se propone ampliar esas exigencias informativas a cualquier movimiento de acciones de cierta significación entre los accionistas de las compañías. Junto a ello, la fiebre de Internet parece haber sido uno de los más importantes revulsivos en el cambio del comportamiento financiero de las familias alemanas. Uno de los países con mayor aversión al riesgo, más conservador en la asignación del ahorro de las familias, aborda una rápida transición hacia la inversión bursátil y, en particular, hacia esos valores emergentes en el nuevo mercado, aunque manteniendo algunos de los rasgos que singularizan la cultura empresarial de ese país. Así, un número relativamente importante de las compañías que cotizaban en ese nuevo mercado a mediados de 2000 todavía pertenecían a sus fundadores y eran dirigidas por ellos. Mientras que en Estados Unidos los fundadores de compañías mantienen entre un 5 y un 15% de la compañía, el rango del Neuer Markt se sitúa entre el 30 y el 60% [10].

En las Bolsas españolas, el «Nuevo Mercado», o mercado para empresas especiales (también ubicadas en sectores caracterizados por una intensa innovación tecnológica o con amplias posibilidades de crecimiento aunque con un nivel de riesgo superior al de los sectores tradicionales), quedó definido en una Orden de 22 de diciembre de 1999, en la que adicionalmente se flexibilizaban los requisitos de admisión a negociación en Bolsa[11]. Las normas de contratación aplicables procuran adaptarse a la tipología de las empresas correspondientes, con una mayor flexibilidad en el proceso de formación de precios y en sus variaciones. El funcionamiento efectivo del «Nuevo Mercado» se inició el 10 de abril de 2000, incorporando a diez empresas tecnológicas que ya estaban en el mercado continuo de Madrid. Cuatro de ellas formaban parte del Ibex–35, el índice de la Bolsa de Madrid que agrupa los valores más líquidos.

Junto a esos mercados nacionales surgieron dos con vocación paneuropea, Easdaq y EURO.NM[12]. El primero de carácter autónomo y el segundo como confederación de cinco mercados nacionales. La European Association of Securities Dealers (EASD) nació en 1994 con la pretensión de crear una bolsa de valores europea, independiente de las existentes, fundamentalmente dirigida a pequeñas y medianas empresas, con gran potencial de crecimiento y proyección internacional. Con sede en Bruselas (sujeto a las regulaciones de aquel país), su configuración técnica (el sistema de contratación) y reguladora responde esencialmente a la del Nasdaq, hasta el punto de que las empresas listadas en uno de ellos encuentra facilidades en la cotización en el otro. En esa dirección estratégica de creación de un verdadero mercado paneuropeo de acciones, Nasdaq adquirió en abril de 2001 una participación mayoritaria en Easdaq.

El EURO.NM fue creado a principios de 1996, tras el acuerdo entre el Nouveau Marché, dependiente de la Bolsa de París, y la Bolsa de Bruselas. A ellos se incorporaron posteriormente el Neuer Markt alemán, el holandés NMAX y el italiano Nuovo Mercato. Cada uno de los mercados dispone de su propio reglamento (condiciones específicas de admisión y permanencia de las empresas, así como de funcionamiento del mercado) y son los propios órganos rectores de las bolsas de las que dependen los que llevan a cabo la correspondiente supervisión. Cuando dejó de existir, en diciembre de 2000, aunque continuaron los mercados nacionales participantes (de hecho se siguen publicando los índices EURO.NM) las compañías listadas ascendían a 564, frente a las 63 existentes a finales de enero de 1998. La capitalización conjunta (expresada como relación de su PIB) del conjunto de esos nuevos mercados europeos apenas superaba la décima parte de la correspondiente al Nasdaq.

Con independencia del nacimiento de similares mercados en otros países industrializados, el Nasdaq ha continuado siendo la tierra prometida de cualquier compañía tecnológica con aspiraciones a ganar visibilidad y proyección comercial internacional, aun cuando tales aspiraciones no hayan dispuesto en todos los casos de una correspondencia suficiente en términos de preferencia de los inversores. Esa pretensión por cotizar en el Nasdaq, coexistente con la correspondiente en los nuevos mercados locales, seguirá siendo dominante para las empresas europeas mientras no exista un mercado europeo uniforme o, como no cabe descartar, cuando el propio Nasdaq termine por absorber el correspondiente mercado con vocación paneuropea, el mencionado Easdaq.

La emergencia de esos mercados, su notable desarrollo de la mano del nacimiento de muchas empresas vinculadas a Internet, ha contribuido a la extensión de la inversión en acciones por segmentos cada vez más amplios de población. Una tendencia explícita en los países industrializados desde bastantes años antes de que existieran indicios de una nueva economía —determinada por los procesos de privatización, por la evolución descendente de los tipos de interés, incluso en muchos de ellos por razones demográficas y por la simultánea percepción de dificultades potenciales en los sistemas públicos de pensiones— propiciadora de la salida a bolsa de nuevas empresas y tolerante con niveles de riesgo superiores a los usuales. Todo ello ha contribuido a ese ensanchamiento de los mercados de acciones, como se ilustra en las cifras de capitalización global alcanzadas en el año 2000, superiores a los 35 billones de dólares, equivalentes al 110% del PIB global, un 40% más que en 1990.

La explosión de Internet, la presunción de un rápido desplazamiento hacia la economía en la red, encontró en la mayor laxitud reguladora de esos segundos mercados el hábitat adecuado y en la avidez de los inversores por la renta variable el principal respaldo a la que acabaría convirtiéndose en una de las fases más alcistas de la historia bursátil de la segunda mitad de siglo. Un poderoso estímulo al que hay que atribuir gran parte de la responsabilidad de ese aumento de las acciones en la riqueza financiera de los países industrializados, de forma destacada en Estados Unidos, donde directa o indirectamente (a través de las distintas modalidades de inversión colectiva: fondos de inversión y fondos de pensiones), las familias incrementaron la parte de su riqueza materializada en acciones hasta alcanzar el 56% de sus activos financieros totales en 2000, frente al 28% en 1989. Según la revisión trianual que lleva a cabo la Reserva Federal de las finanzas de los consumidores, la proporción de las familias con alguna participación en los mercados de renta variable creció desde el 31,6% al 48,8% entre 1989 y 1998; en 1952 esa proporción era del 5% y cuando tuvo lugar el *crash* de 1987 no llegaba al 25%. Siendo significativo ese crecimiento en la proporción del número de familias propietarias de acciones, no lo es menos la concentración de esa riqueza en un número relativamente reducido de las mismas: el 80% de los accionistas estadounidenses sólo tienen el 4,1% de las acciones totales, lo que obliga a relativizar cualquier valoración acerca de la efectiva distribución de la riqueza en aquel país, y a subrayar ese creciente divorcio entre la propiedad y el control de las empresas que hace décadas anticiparon Berle y Means [13].

A pesar del desafío a las más elementales leyes de la gravedad financiera, el aumento de inversores en acciones de nuevas compañías, muchas de ellas vinculadas a las tecnologías de la información, no ha dejado de crecer: nunca ha habido más gente invirtiendo en acciones de compañías de las que se ha conocido menos acerca de sus posibilidades de supervivencia. Inversores que, como ha señalado Thomas Friedman [14], creían que el acrónimo «B2B» significaba *Bed and Breakfast* acumulaban en sus carteras valores de empresas vinculadas a Internet que cuestionaban cualquier principio razonable de prudencia y diversificación; tanto más si las compras de esas acciones se llevan a cabo, como ha sido bastante frecuente, mediante préstamos concedidos por los *brokers* con garantía de las propias acciones.

Internet no sólo ha permitido que millones de personas accedan a la propiedad de acciones, también lo ha hecho con la participación en la más sofisticada operativa en esos mercados. La extensión instrumental de las propias tecnologías de la información ha contribuido significativamente a ese aumento del grado de popularización de la inversión en acciones. La rápida expansión de los sistemas electrónicos de negociación de acciones, el acceso a los reservados hasta mediada la pasada década a los operadores profesionales, la facilidad de entrada, el descenso de los costes transaccionales y la proliferación de los denominados *brokers online* (corredores o agencias de valores en la red) han promovido esa suerte de descentralización de las decisiones de inversión y su concentración en activos de mayor riesgo por un número creciente de personas. Es también en Estados Unidos donde la extensión de la actividad bursátil *online* ha alcanzado un mayor desarrollo, consecuente no sólo con su posición de vanguardia en todas las modalidades de comercio electrónico, sino igualmente como el país en el que la inversión en acciones representa una mayor proporción en la riqueza de las familias. De los 7,5 millones de inversores que operaban en la red a finales de 1999 se ha pasado, al término de 2000, a más de 13 millones. Hay ciento cuarenta *brokers* en Estados Unidos, ejecutando en los momentos de mayor euforia más de 1,2 millones de transacciones al día.

La mera condición de internauta constituye un incentivo a operar en los mercados, sin que la motivación para el enriquecimiento rápido haya ido pareja a la cualificación que los mercados requieren, dando lugar a su vez a un aumento de la volatilidad intrínseca de los valores tecnológicos. Para la realización de sus operaciones, los inversores individuales disponen de apoyos informativos y de herramientas cada vez más homologables a las de los inversores profesionales. El acceso a simuladores y el aumento de las posibilidades de contraste, la constitución de foros de discusión o las más recientes técnicas destinadas a medir el riesgo de las carteras son capacidades que favorecen ese casi continuo seguimiento de las inversiones, la reducción de las asimetrías informativas entre los operadores profesionales y los particulares, reduciendo igualmente la discriminación en el acceso a la información, así como la importancia que su diseminación tiene en los resultados de las decisiones de inversión. El propio concepto de experto queda devaluado; ahora esta condición está más expuesta al enjuiciamiento, al escrutinio más amplio y continuo que permiten las numerosas posibilidades de información y contraste.

La contrapartida de esa tendencia a la ruptura del monopolio de la información, la posibilidad de adopción de más frecuentes decisiones de compra y venta por nuevos grupos de inversores a través de la red, es la existencia de una más acusada volatilidad: importantes y frecuentes fluctuaciones de las cotizaciones debidas en gran medida al crecimiento de esos *day traders*, dotados muchos de ellos con más ansiedad que experiencia; desconocedores en la mayoría de los casos de la actividad que llevan a cabo las empresas en las que operan, susceptibles de reaccionar con la misma irracionalidad ante la nueva información [15]. Ese «efecto CNBC», que se refiere a la disposición en tiempo real no sólo de las cotizaciones de todas las acciones en los mercados más relevantes del mundo, sino también a la existencia de comentarios y recomendaciones (como las que proporciona esa cadena de televisión estadounidense) es motivador de decisiones en muchas ocasiones tan rápidas como irracionales. En 1999, el inversor medio estadounidense mantenía sus acciones durante no más de ocho meses, frente a los dos años de promedio de principios de los ochenta; algo no muy distinto ocurría con las participaciones en fondos de inversión; según el Investment Company Institute (la asociación de los fondos de inversión en Estados Unidos), en los doce meses hasta julio de 2000 el 41,5% de los activos en un fondo de inversión medio fueron comprados o vendidos.

Aunque con menor intensidad, ese aumento en la volatilidad de los precios de las acciones, originada en gran medida por la importancia de los valores tecnológicos, es común a los mercados de todo el mundo. Así, según los datos del Banco Central Europeo [16], la desviación típica media anualizada de las tasas de variación diarias de las cotizaciones (la volatilidad histórica) en la zona euro, medida por el índice Dow Jones EURO STOXX, que fue del 15% entre 1990 y 1998, se incrementó hasta el 17% en 1999 y llegó en 2000 a situarse en el 22%. La correspondiente volatilidad histórica del índice Nasdaq pasó del 27% anual en 1999 al 48% en 2000, frente a una volatilidad media del 16% entre 1990 y 1998.

A mediados de los noventa, tras una serie de modificaciones en la regulación de los mercados, entran en escena las Electronic Communications Networks (ECNs), redes de negociación electrónicas que permiten llevar a cabo operaciones en acciones de ambos mercados neoyorquinos (aunque hasta ahora mayoritariamente en las registradas en el cada vez menos neoyorquino Nasdaq: en la primera mitad de 2000 el 34% de las transacciones en estas acciones se hicieron por ECNs), sin ser un mercado convencional y, por supuesto, sin restricciones horarias. Precios más bajos y mayor rapidez en las transacciones son la consecuencia de ese contacto directo entre comprador y vendedor a través de Internet, de forma no muy distinta a las demás plataformas de comercio en la red. Los denominados *day traders* son los clientes más activos de estas plataformas, de las que la filial de Reuters, Instinet, es la más importante; en realidad, un mercado más en sí mismo. Al igual que las empresas de información financiera (Bloomberg es, por su parte, el accionista mayoritario de Tradebook), los grandes bancos de inversión también se han dispuesto a invertir en este tipo de redes de contratación, cuya extensión adicional dependerá, como es lógico, de la reacción de los mercados tradicionales en la dirección de una mayor eficiencia, flexibilidad y, en definitiva, de su capacidad competitiva.

Se trata de una tendencia ya observada en otros países, que empieza a ser relativamente independiente del grado de sofisticación de sus sistemas financieros. Así, en países en los que es más reciente esa preferencia por la inversión en acciones, como Corea del Sur e India (donde la inversión en bolsa a través de Internet se autorizó en agosto de 2000), las transacciones en la red ya representaban el

50% de todas las operaciones del mercado. En Alemania (donde en 1999 sólo un 6% de la población mantenía acciones en su patrimonio), la transición hacia los mercados de acciones de una proporción creciente del ahorro de las familias ha coincidido con el uso amplio de medios electrónicos de contratación. Según la consultora Datamonitor, durante la primera mitad del año 2000 se abrían 1.178 cuentas diarias para operar a través de Internet, concluyendo el siglo con una quinta parte de la población adulta con parte de su patrimonio invertido en acciones [17]. En Suecia eran 685 y en Reino Unido 466. Al término de 2000 en toda Europa eran 1,7 millones de cuentas, que se situarían en el año 2002 entre 7,5 y 10,5 millones de cuentas. A pesar de la proliferación reciente de las ofertas, España todavía está en un nivel relativamente bajo, aunque su crecimiento no es menos destacable que los de otros países del área; a finales de 1999 había entre 8.000 y 20.000 cuentas para operar en la red, estimándose en 200.000 a final de 2000, que se multiplicarán en los próximos años hasta alcanzar, en 2002, según el banco de inversiones J. P. Morgan, 900.000 accionistas (el 26% de los inversores particulares), que serían 1,6 millones en 2003; Datamonitor es más prudente y los cifra en 350.000.

La extensión de los sistemas de remuneración basados en acciones ha cobrado una dimensión importante en la ampliación de la base de inversores en los mercados de acciones, así como en el papel catalizador que las variaciones de sus cotizaciones tienen sobre el conjunto de la economía. Una parte significativa de la renta de segmentos también crecientes de empleados de esas nuevas compañías mantiene una estrecha dependencia de la cotización de las acciones, suscitando nuevos interrogantes sobre sus eventuales implicaciones que exceden al protagonismo de esos mercados en la evaluación de la gestión de las empresas y, en todo caso, refuerzan esa vinculación entre el comportamiento de los mercados bursátiles y las decisiones de gasto de los agentes económicos.

Las razones para la inquietud, acerca de ese distanciamiento de las cotizaciones bursátiles de las referencias valorativas al uso, exceden a las estrictamente derivadas de la mayor o menor eficiencia con que se comportan esos mercados. En la medida en que ese excepcional ascenso de los precios de las acciones ha estado acompañado de una notable ampliación de su base de inversores, las eventuales consecuencias que un brusco desplome podría tener sobre el conjunto de la economía cobraban una importancia sin precedentes. El incremento en el valor de la riqueza materializada en acciones acabó convirtiéndose en una fuente autónoma de crecimiento de la economía estadounidense, al estimular las decisiones de gasto de los inversores sobre la base de la revalorización de esa parte cada vez mayor del patrimonio de las familias. Esa vinculación entre el crecimiento del consumo, de su elevada contribución al de la economía en su conjunto, y la evolución de las cotizaciones bursátiles —la manifestación más explícita del denominado «efecto riqueza»— a finales del año 2000 dejó de convertirse en una amenaza para convertirse en un factor de contracción del ritmo de crecimiento de la economía estadounidense, consecuente con la importancia que la demanda interna tiene en esta economía.

En 1999, las revalorizaciones del DJIA en un 25% y la del Nasdaq en un 85% supusieron un aumento de la riqueza de las familias norteamericanas de 5,5 billones de dólares, con el consiguiente efecto favorable en las decisiones de gasto. En los cinco últimos años hasta 1999 la elevación de los precios de las acciones aumentó la riqueza de los estadounidenses en más de 10 billones de dólares. Un incremento que, además de incentivar el endeudamiento, se tradujo en mayor gasto en consumo, en un descenso hasta los niveles de 1930 en la tasa de ahorro. Fue esa relación entre variaciones en la riqueza financiera y decisiones de consumo, evidente pero de difícil estimación, la que motivó algunas de las últimas elevaciones de tipos de interés que llevó a cabo la Reserva Federal a principios del año 2000 y, por razones lógicamente opuestas, las que favorecieron los descensos posteriores, cuando la desaceleración en el ritmo de crecimiento de aquella economía era tan evidente como la precedente pérdida de riqueza originada por el desplome del mercado de acciones con que finalizó ese año.

Si la existencia de ese efecto riqueza es algo aceptado genéricamente, el acuerdo no es tan amplio respecto a su estimación concreta [18]. La mayoría de las estimaciones sitúan ese impacto en Estados Unidos entre tres y cinco centavos de gasto por cada dólar de aumento en la riqueza financiera, una proporción considerable si tenemos en cuenta que el gasto en consumo de dicha economía es normalmente el responsable de más de las dos terceras partes de la actividad económica. Sobre esas bases puede entenderse la vinculación entre las correcciones bursátiles y la desaceleración en el ritmo de crecimiento económico; desde los máximos alcanzados por el DJIA y el Nasdaq Composite, en enero y marzo de 2000, respectivamente, hasta final de ese año, la merma en la riqueza de las familias estadounidenses habría alcanzado algo más de 2,5 billones de dólares.

Indirectamente, las variaciones en las cotizaciones bursátiles también condicionan las decisiones de gasto de los agentes económicos, y desde luego las de las familias, en la medida en que cada vez en mayor medida las variaciones de las mismas inciden en la formación de las expectativas y estados de ánimo, incluidas las posibilidades de conservar sus propios puestos de trabajo. Es difícil establecer la mayor o menor asimetría en ese efecto riqueza (la desigual influencia de elevaciones o reducciones en las cotizaciones sobre el gasto de las familias), aunque son más numerosos los trabajos que sugieren un mayor impacto de los descensos en los precios de las acciones sobre la contracción del gasto que los ascensos sobre el aumento correspondiente.

La correlación entre las variaciones de las cotizaciones de los valores tecnológicos, con independencia del mercado en que estén registrados, refuerza las vías de transmisión de ese efecto riqueza. Análisis recientes del impacto de las cotizaciones de las acciones en el consumo de las familias en los principales países industrializados realizados por el FMI (2001) para los años 1999 y 2000 [19], ponen de manifiesto que un dólar de incremento en el precio de las acciones (tecnológicas o no) se traduce en Estados Unidos en un incremento de las decisiones de consumo de cuatro a cinco centavos. En la Europa continental, las variaciones en las cotizaciones de las acciones tecnológicas apenas tienen efecto sobre las decisiones de consumo; pero no ocurre lo mismo con las correspondientes a los valores tecnológicos, donde el impacto es similar al que tiene lugar en la economía estadounidense, aun contando con que la capitalización de los mercados de acciones en el continente con relación al PIB es menor que la correspondiente a Estados Unidos. La razón que podría explicar ese efecto diferencial es la mayor concentración relativa de las inversiones de los europeos en ese tipo de acciones en los últimos años.

Esa diferenciación del efecto riqueza respecto a la ubicación sectorial de las acciones también tiene lugar cuando se analiza el impacto de las variaciones de las cotizaciones de las acciones sobre el coste de capital de las empresas. Tradicionalmente, en Europa ese efecto sobre la inversión de las empresas ha sido menor que en Estados Unidos, dado el mayor recurso relativo a la financiación mediante deuda, bancaria o no, por las empresas europeas. Sin embargo, esa sensibilidad a los movimientos bursátiles también es mayor en las empresas tecnológicas, similar al observado en Estados Unidos. Todo ello obliga a revisar la escasa importancia que algunos analistas inicialmente atribuyeron al impacto sobre el continente del pinchazo de la burbuja en los valores del Nasdaq. La realidad avaló en 2001 esta estrecha asociación.

La resurrección del capital riesgo y de los bonos basura

El acceso a los mercados de capitales no es libre ni indiscriminado. No todas las empresas disponen de la misma capacidad para captar los recursos necesarios para su nacimiento o su desarrollo. El tamaño, la naturaleza del sector en que está ubicada, la fase de desarrollo en que se encuentra o el grado de endeudamiento, son algunos de los factores que determinan las posibilidades de obtener financiación para cualquier empresa. Sintetizan el mayor o menor riesgo con que se percibe la inversión en las mismas por parte de los canales habituales, los mercados y las instituciones de cualquier sistema financiero. Los mercados de capitales en particular, los tradicionales de bonos y de acciones, son especialmente selectivos en la aceptación de nuevas empresas, como suelen serlo las entidades bancarias, especialmente en la concesión de préstamos a medio y largo plazo, en mayor medida si se encuentran en sectores también nuevos, sin la suficiente tradición analítica y más difíciles de controlar que los más conocidos y maduros. En muchos casos, la ausencia de historia, de reputación susceptible de exhibir en los mercados, es común a la ausencia de garantías, de activos colaterales con los que respaldar la obtención de recursos financieros. Y, por supuesto, también es común a las empresas que nacen con un tamaño relativamente reducido.

La existencia de riesgo —de incertidumbre, de información incompleta— es, sin embargo, consustancial a la capacidad para emprender: para traducir en valor cualquier proceso de innovación. Fue F. H. Knight [20] quien introdujo esa distinción fundamental entre riesgo e incertidumbre, siendo la posibilidad de asignación de probabilidades a los desenlaces lo que diferencia ambas situaciones. Peter L. Bernstein [21] considera que la disposición de capacidad para gestionar el riesgo es lo que marca la entrada en la época moderna. Desde luego, es lo que estimula buena parte de la moderna investigación académica en finanzas y la generación de ese proceso de innovación que ha caracterizado la evolución de los sistemas financieros en el último cuarto del siglo XX.

Sin esa gestión del riesgo, sin la posibilidad de segregarlo de los activos financieros y de transferirlo, los mercados financieros y de capitales carecerían de su principal función. Es en épocas como la actual cuando se manifiesta más intensamente y bajo formas diferenciadas: la dinámica de innovación que preside esta discontinuidad en el funcionamiento de las economías es, por definición, intensiva en riesgo, en nuevas ideas para cuya evaluación la historia no es tan relevante como en los proyectos tradicionales. Es el futuro, los planes de negocio sobre los que se asientan las nuevas ideas, los que son más importantes. Que una empresa o un nuevo proyecto empresarial, por alguna de las razones señaladas, exhiba un riesgo relativamente elevado no significa que no sea viable. Su financiación, el apoyo a su crecimiento, puede ser tan conveniente —tan rentable— o más que el correspondiente a empresas largamente asentadas. Las compensaciones a ese apoyo, la rentabilidad de la inversión en las mismas, pueden ser significativamente superiores a las generadas por las empresas tradicionales. Es más, lo razonable es que ese mayor riesgo asociado, la mayor probabilidad de fracaso de una u otra forma (de insolvencia de los emisores de los instrumentos financieros), incorpore también una esperanza de mayor remuneración.

Proporcionar esa cobertura financiera a proyectos con riesgo superior al considerado normal es la misión de instituciones especializadas, como las sociedades y los fondos de capital riesgo y las de garantía recíproca existentes en la generalidad de los sistemas financieros. En general, el concepto «capital riesgo» *(venture capital,* en su acepción anglosajona), o la más reciente transcripción de «capital inversión», refiere a la actividad financiera consistente en participar, con una vocación de permanencia limitada, en el capital de empresas privadas jóvenes, que no coticen inicialmente en bolsa, y con el objeto de obtener una rentabilidad adecuada al riesgo asumido en la inversión [22]. Estas sociedades tratan de sortear las asimetrías de información y los problemas de agencia que normalmente existen entre prestamistas y prestatarios, especialmente en el caso de nuevas empresas en sectores o con proyectos sin historia y, en consecuencia, con riesgo relativamente elevado [23]. Las compañías de capital riesgo pueden, en efecto, acceder y procesar información sobre las empresas en las que invierten de forma más eficaz, al tiempo que utilizan mecanismos de control (posiciones en los órganos de administración y dirección, derechos políticos diferenciados, etc.) no disponibles a los prestamistas o inversores convencionales.

El importante aumento de la natalidad empresarial, asociado a las oportunidades generadas por la extensión de las aplicaciones de las tecnologías de la información y de las telecomunicaciones, difícilmente podría haber prosperado sin las posibilidades de financiación sensibles a esos factores de riesgo distintos a los tradicionales. Desde hace décadas los fondos de capital riesgo y otras modalidades de financiación próximas tratan de llenar el hueco que dejan las instituciones y los mercados tradicionales, aunque ha sido en los noventa cuando han renovado su importancia. No sólo es el apoyo al alumbramiento de nuevas ideas y proyectos, sino la alimentación de aquellas que, por la naturaleza del sector o por el ritmo de crecimiento en que están inmersas, no son capaces inicialmente de generar de forma interna los recursos necesarios y requieren financiación ajena en unas condiciones que los mercados organizados o las instituciones bancarias no ofrecen a través de sus canales tradicionales.

La mayoría de los recursos canalizados a través de estas modalidades lo son mediante sociedades o fondos que asumen parte de la propiedad de las empresas, a través de la adquisición de acciones o mediante la suscripción de bonos u otros títulos de deuda susceptibles de conversión en acciones, tras la satisfacción de determinadas condiciones. La financiación de los fondos de capital riesgo se destina habitualmente a tres tipos de fases o actividades: el nacimiento de las empresas (incluyendo la financiación de los semilleros de empresas y los *start ups),* su expansión y las operaciones de reestructuración. Mientras que en Estados Unidos las dos primeras, normalmente las más intensivas en riesgo, absorben las tres cuartas partes de los recursos de estos fondos, en Europa no superan la mitad. Compañías hoy emblemáticas fueron originalmente financiadas por alguna modalidad de capital riesgo. Microsoft, Netscape, Compaq, Sun Microsystems, Intel, Apple, Digital Equipment o Genentech son algunas conocidas entre las casi 3.000 empresas estadounidenses que en los últimos veinticinco años, tras su paso por esos fondos y la correspondiente Oferta Pública de Acciones, han acabado engrosando el censo de las de mayor capitalización del mundo.

Si históricamente esas sociedades o fondos eran promovidos por entidades financieras, empresas, instituciones públicas, e incluso por personas físicas con patrimonios relativamente elevados, en los últimos años, al socaire de la extensión de Internet y sus múltiples aplicaciones, se ha ampliado notablemente la base de sus inversores, asimilándose en muchos casos a los instrumentos de inversión colectiva, a los fondos de inversión convencionales e incluso a los fondos de pensiones, que han mantenido una parte significativa de su patrimonio en los mismos.

De la mano de esa explosión en la capacidad emprendedora, los fondos de capital riesgo han dispuesto de un protagonismo y una capacidad de financiación sin precedentes, básicos en la configuración de la nueva economía. La innovación, el consiguiente crecimiento de la productividad, fundamentos del círculo virtuoso en el que ha estado inmersa la economía estadounidense, no pueden explicarse sin la expansión espectacular de esa tercera vía de financiación. Ésta, junto a las estrechamente relacionadas ofertas públicas de acciones, ha sido el principal alimentador financiero de la transformación tecnológica y, justo es destacarlo dada su estrecha conexión con los mercados de acciones, de la burbuja especulativa que ha presidido la transición de la nueva economía al siglo XXI. Para algunos analistas, ha sido la fiebre inversora generada en torno a la disposición de abundantes recursos por estos fondos, la fácil y en ocasiones indiscriminada financiación de nuevas ideas, la que ha generado esa dinámica creadora de empresas que a lo largo de buena parte de 2000 y 2001 mostró su fragilidad [24].

La vinculación entre estas instituciones y los mercados de capitales es estrecha, de forma que, en la mayoría de los casos, el destino de cualquier empresa, una vez ha recibido la inyección de recursos para afianzar sus proyectos, es la cotización abierta en los mercados bursátiles, mediante las correspondientes ofertas públicas de acciones que, hasta el desplome de los mercados bursátiles de marzo de 2000, eran literalmente devoradas por una creciente comunidad de inversores con una reducida aversión al riesgo. En realidad, la financiación del proceso de innovación en algunos países, Estados Unidos de forma especial, lejos de encontrar restricciones serias, ha sido un poderoso incentivo para su generación. El nivel relativamente bajo de los tipos de interés, la avidez de los nuevos mercados de acciones por dar cabida a nuevas empresas, ha sido un permanente estímulo a esas modalidades previas de financiación de capital riesgo que, dicho sea de paso, han aportado en muchos casos sustanciosos beneficios.

En Estados Unidos se concentran las dos terceras partes de los recursos de esos fondos de capital riesgo de todo el mundo. Según la empresa de investigación Venture Economics, durante los últimos cinco años del siglo pasado, se dobló el número de empresas administradoras de ese tipo de fondos hasta superar el millar, las compañías financiadas crecían un 150% hasta 5.380 en el año 2000 y la suma de recursos invertidos se multiplicaba por diez hasta alcanzar los 103.000 millones de dólares. Una amplísima mayoría de las empresas que salieron a bolsa en 1999 y 2000, no sólo en el sector de tecnologías de información, fueron previamente financiadas por ese tipo de fondos.

Las promotoras de esa clase de instituciones no han sido únicamente entidades financieras, también han participado activamente en su promoción grandes grupos empresariales, tanto dentro como fuera de los sectores a los que se destinan las inversiones. Toda compañía que se precie tiene ya su división de capital riesgo, y no sólo en el sector de las tecnologías de la información: también las ubicadas en la vieja economía. Motivaciones más allá de las estrictamente financieras, en no pocos casos de carácter estratégico, tendentes a facilitar el acceso a las nuevas tecnologías, a proyectos atractivos de investigación y desarrollo, e incluso la compra de rivales potenciales, han hecho que en el capital de esas sociedades participen empresas de diversa extracción sectorial. Según la publicación *The Corporate Venturing Report*, en todo el mundo 350 empresas disponían en el año 2000 de divisiones de capital riesgo, frente a las 250 de 1999, las 110 en 1998, las 70 en 1997 y las 49 en 1996. Esta creciente participación de grupos industriales en proyectos de capital riesgo abre nuevos interrogantes acerca de la capacidad de gestión, de las posibles incompatibilidades y de otros tipos de conflictos, como los señalados por Silverman [25].

Las cifras registradas en los noventa dan una idea de la estrecha asociación entre el desarrollo de las empresas de la nueva economía y el crecimiento de estas modalidades de financiación. En 1991 toda la industria del capital riesgo en Estados Unidos apenas invirtió 2.000 millones de dólares. Durante la primera mitad de 2000 invirtieron más de 13.000 millones de dólares sólo en compañías basadas en Silicon Valley, San Francisco y el norte de California. Una cifra que representa algo más de la tercera parte de los 36.700 millones de dólares invertidos durante todo el año 1999 en el conjunto de Estados Unidos. Una amplísima mayoría de esos recursos se han asignado a compañías tecnológicas y, en particular, a empresas de Internet. Según la consultora PriceWaterhouseCoopers, las inversiones en proyectos empresariales en la red han pasado de 175 millones de dólares en 1995 a 19.900 millones en 1999, totalizando 26.500 millones de dólares en el conjunto de ese lustro [26].

A pesar del crecimiento en los últimos años del sector del capital riesgo en el viejo continente, en la actualidad apenas representa el 5% de la inversión empresarial, y no invierte más del 10% de sus recursos en empresas nuevas, recién nacidas, frente al 30% en Estados Unidos [27]. Más allá de la distinta actitud hacia el riesgo y el fracaso en los distintos sistemas económicos, el ordenamiento legal e impositivo, reflejo en última instancia de esas actitudes, es mucho más favorecedor del crecimiento de esas modalidades de financiación en Estados Unidos que en la mayoría de los países de la Unión Europea.

El liderazgo ejercido en estas modalidades de financiación por las empresas estadounidenses y la competencia por captar proyectos atractivos las ha impulsado a explorar mercados exteriores, a globalizar su proyección inversora, con atención particular en Europa, pero sin pasar por alto oportunidades en India, o Israel, por ejemplo. Una tendencia tanto más destacable, tanto más expresiva del elevado grado de integración financiera internacional, cuanto mayores son las exigencias informativas en este sector, en el conocimiento directo de los sectores y las empresas concretas a los que se destinan las inversiones.

Hasta la primera corrección que sufrieron los nuevos mercados de acciones, al final del primer trimestre del año 2000, cualquier experimento empresarial concebible, vinculado directa o indirectamente a las nuevas tecnologías, y con bastante independencia del periodo de recuperación que ofrecían las inversiones, encontraba con facilidad cobertura financiera y era susceptible de incorporarse a la más intensa fiebre de ofertas públicas de acciones de la historia. Era la abundante financiación la que estimulaba la dinámica de innovación, o al menos la emergencia de proyectos empresariales basados en la misma. La circulación entre las instituciones de capital riesgo de cualquier idea podía encontrar fácil y rápido acceso a financiación por cuantías significativas. Había más dinero, ávido de oportunidades de inversión en esos sectores, que análisis mínimamente críticos de su viabilidad, de la capacidad empresarial de los que promovían esas ideas. Posteriormente hemos visto que muchas de esas ideas apenas eran experimentos con el mínimo respaldo y capacidad de gestión; en no pocos casos, la velocidad con que el dinero quería encontrar algo que se asemejara a los sectores emergentes posibilitaba la aparición de personajes poco asimilables a verdaderos emprendedores, mercenarios en muchos casos, dispuestos a sacar partido de esta nueva edición de la fiebre del oro.

Si la primera fiebre californiana se extendió entre 1848 y 1856, esta segunda, centrada en Silicon Valley, no duró más de seis años, entre 1995 y 2001, pero sin duda fue bastante más lucrativa. Para su inicio se toma como referencia la oferta pública de acciones de Netscape, el 9 de agosto de 1995, que en el primer día de cotización alcanzó un valor total de 2.000 millones de dólares, sin beneficios identificables en sus actividades habituales. Esa operación es también la referencia más emblemática del extraordinario acortamiento de la distancia entre el capital riesgo y los mercados de acciones que se opera desde entonces. A partir de ese momento, para muchos el verdadero inicio de la era de Internet, la generación de riqueza se mantuvo estrechamente vinculada a esa rápida transición entre los fondos de capital riesgo y el registro en el Nasdaq o cualquier otro segundo mercado. Fue también la definitiva entronización financiera de esa zona entre San Francisco y San José que actuaría desde entonces como un verdadero imán de proyectos en torno a esas nuevas tecnologías, fortaleciendo los bien ganados atributos de la Universidad de Stanford, aliada natural en buena parte de esas nuevas iniciativas.

El escarmiento de las correcciones bursátiles y el fracaso de bastantes empresas de comercio electrónico no han sido óbice para que los fondos de capital riesgo hayan seguido atrayendo recursos financieros, incluso de los más respetados fondos de inversión y de pensiones. Durante el año 2000, en Estados Unidos esos fondos invirtieron más de 70.000 millones de dólares, el doble de la inversión realizada en 1999, cuando la euforia «dot.com» estaba en su apogeo. A finales de ese año, sólo en Silicon Valley existían más de veinte fondos con más de 1.000 millones de dólares de patrimonio y, aunque existían poderosas razones para cuestionar la fiebre inversora de años precedentes, en especial a tenor de la marcada ralentización de las salidas a bolsa de las empresas, su función seguía disponiendo de un papel central en aquel sistema financiero, aunque ciertamente con una menor intensidad inversora que en los felices noventa.

El balance hasta el término del año 2000 de esa explosión de financiación deja lugar a pocas dudas sobre su excepcionalidad. Desde la oferta de acciones de Netscape, en agosto de 1995, tuvieron lugar, según Morgan Stanley D. W. (2001), 413 ofertas públicas de acciones, la amplia mayoría de empresas en Internet. La singularidad de ese periodo en la historia financiera se ve subrayada cuando se observa en ese informe de Morgan Stanley que de todo el capital riesgo que se asigno a proyectos tecnológicos entre 1979 y 2000, el 70% fue en 1999 y 2000, así como el 56% de todos los recursos captados por las ofertas públicas de acciones y el 62% del valor en dólares de las fusiones y adquisiciones en compañías tecnológicas.

En el año 2001, la rentabilidad de los proyectos, la capacidad de generación de *cash-flows,* habían renovado su importancia como criterios en la evaluación y selección de inversiones. La competencia entre los fondos de capital riesgo pasó a ser más selectiva, más conciliadora con la aversión al riesgo propia de los agentes de la vieja economía, al tiempo que se impuso una consolidación en el seno del sector, incluidas las incubadoras, determinada por ese mayor racionamiento de los recursos. Su crecimiento será probablemente más moderado del que acompañó la explosión de la natalidad empresarial durante finales de los noventa, pero es difícil dudar de su necesidad. Una mayor selección de los proyectos y un seguimiento más estrecho de las compañías en las que se asignan los recursos ya están siendo los rasgos dominantes en la industria durante esta transición hacia un entorno inversor de más calma: conceder más tiempo a la empresa en la que se invierte que a la búsqueda de oportunidades de inversión.

El mercado de bonos de alto rendimiento *(high yield bonds),* también llamados «bonos basura» *(junk bonds),* experimentó una verdadera resurrección, un fortalecimiento quizá tan destacado como el de los fondos de capital riesgo. Tras la crisis y posterior liquidación, en 1990, de la prestigiosa casa, especialista en este tipo de instrumentos, Drexel Burnham Lambert, ese mercado se dio prácticamente por desaparecido. Sin embargo, esa explosión de nuevos proyectos intensivos en riesgo —la proliferación nuevamente de los concebidos en un garaje— renovó el protagonismo de unos instrumentos financieros que se han revelado adecuados para la financiación de iniciativas cuya calidad crediticia inicial dista de los estándares habituales. Se trata de bonos, también con un activo mercado secundario, que financian proyectos con elevado riesgo, desde operaciones de reestructuración empresarial, tomas de control de empresas *(leveraged-buy-outs)*, o aquellos otros que por su carácter novedoso, como buena parte de los asociados a la nueva economía, no incorporan la información suficiente o se ven condicionados por contingencias cuya naturaleza escapa a la función habitual de gestión de riesgos de los inversores convencionales. Ese mayor riesgo justifica la oferta de un mayor rendimiento, de varios puntos porcentuales, que habitualmente toma como referencia el que cotiza el mercado para los activos financieros de menor riesgo, normalmente los bonos del Tesoro.

Un mercado al que la emergencia de la nueva economía, en particular las espectaculares necesidades de financiación de las compañías emergentes, y en especial de las pertenecientes al nuevo sector de telecomunicaciones, no sólo le hizo renacer de las cenizas, sino que contribuyó muy directamente a multiplicar por seis su volumen de emisiones durante la década de los noventa, hasta esos 680.000 millones de dólares, impulsado igualmente por la reducción de emisiones y la correspondiente elevación de precios en los bonos de los mejores riesgos, los gobiernos incluidos. Respetables bancos de inversión pujaban por hacerse con el liderazgo de un mercado que, al igual que las distintas innovaciones financieras, trasciende ya el sistema financiero estadounidense donde nació.

Por su propia naturaleza, se trata de un mercado expuesto a una volatilidad significativamente superior al resto de los instrumentos de deuda. De su sensibilidad a las condiciones financieras vigentes en las economías, a la evolución de la solvencia, dan cuenta esos diferenciales o *spreads* frente a los activos más seguros. Así, tras la crisis de los valores tecnológicos a partir de marzo de 2000, a medida que las dificultades para el lanzamiento de nuevas emisiones de acciones se agudizaban, y con ellas las de los mercados de crédito bancario, los bonos de algunas de las compañías emisoras en estos mercados llegaron a cotizar con tasas de interés (que se mueven inversamente al precio de los bonos) superiores a 6,5 puntos porcentuales por encima de los correspondientes bonos del Tesoro: la mayor prima por riesgo desde la declaración de insolvencia de la deuda rusa, en agosto de 1998.

Exuberancia y valoraciones irracionales

La teoría de la eficiencia de los mercados, en la más exigente de las hipótesis en que se sustenta, nos indica que en las cotizaciones está incorporada toda la información considerada relevante sobre el activo financiero en cuestión. En el caso concreto de las acciones, su precio en el mercado es, según ese enfoque, el mejor indicador sobre el futuro de las compañías cuya propiedad representan. Esta teoría asume que en los mercados de capitales, además de altamente competitivos, concurren numerosos inversores bien informados y equipados con las más sofisticadas técnicas de análisis. En consecuencia, nadie puede saber mejor el mercado lo que está ocurriendo y lo que va a ocurrir[28]. Si, incluso en épocas de relativa estabilidad y de serenidad en la formación de expectativas, es complicado que los mercados financieros satisfagan de forma continua las condiciones de eficiencia que se suponen implícitas en su comportamiento, en mucha mayor medida ese distanciamiento tiene lugar cuando la información considerada relevante en el proceso de formación de sus precios es desigualmente asimilada. Como ocurre en épocas de intensificación de la dinámica de innovación y movilidad empresarial, cuando la incertidumbre revela su posición central en los procesos de toma de decisiones, incluso para los inversores más avezados.

La fascinación del mercado de acciones por la nueva economía fue tan excepcional que, cuestionando los principios y criterios de valoración al uso, generó una sensación de ingravidez en la mayoría de los valores de las empresas más directamente vinculadas a las nuevas tecnologías de la información y las telecomunicaciones, que parecía no disponer de excesivos precedentes en la historia bursátil. A decir verdad, no era la primera vez que una oleada innovadora se encontraba acompañada de un masivo desplazamiento de riqueza financiera hacia las nuevas posibilidades de inversión que ofrecían las tecnologías recién llegadas. Erika Kinetz [29] nos recordaba aquella afirmación de G. M. de Clerq: «A lo largo de todo el mundo parecería que las masas tienen un deseo innato de jugar, que ha de satisfacerse de una u otra forma» [30], que bien podría haber pasado por una sentencia de los eufóricos finales noventa del siglo XX. Aquellos primeros años del siglo pasado eran los de la fiebre del ferrocarril en Estados Unidos, cuyo despegue, en el último cuarto del siglo XIX, había tenido lugar gracias a la tecnología y a la financiación inicial de inversores británicos y holandeses.

Al término del siglo XX la memoria parecía nublada por la pretensión de un número creciente de inversores de no quedar alejados de esta nueva revolución, cuya generación de riqueza parecía interminable. Que compañías sin beneficios, algunas incluso sin apenas ingresos (como era el caso de muchas de las centradas exclusivamente en Internet), registraran elevadas cotizaciones no parecía cuestionar tanto esas hipótesis de eficiencia como los criterios de valoración hasta entonces dominantes. La interpretación más complaciente asumía como aceptables esas cotizaciones a tenor de las favorables implicaciones económicas (de difícil cuantificación, en todo caso) derivadas de la singularidad de las transformaciones en curso. La cambiante naturaleza de los activos de las compañías llamadas a protagonizar esas transformaciones, el dominio de los intangibles o de los conceptuales, según expresión del propio Alan Greenspan, y la primacía de las ideas y de los talentos capaces de llevarlas a buen fin —«la imaginación frente a las chimeneas»— amparaban esa circunstancial puesta en cuestión de las referencias valorativas empleadas hasta entonces por los analistas, al tiempo que alentaban a los proponentes de una nueva métrica con la que abordar la valoración de esa nueva realidad empresarial emergente, como la articulada en torno del enfoque de las «opciones reales» [31].

Las cuentas de resultados (y desde luego la distribución de dividendos) de las empresas más directamente representativas de la nueva economía habían dejado de ser relevantes para los mercados de acciones. La transición desde el dominio de los activos físicos al de los basados en el conocimiento como fuente generadora de valor reducía la significación de ese periódico registro de pérdidas y ganancias, aparentemente concebido para empresas del pasado. Criterios y modelos de valoración no por elementales menos asumidos, como el ritmo de crecimiento esperado de los beneficios de la empresa en cuestión, el descuento de la corriente de dividendos, la relación entre su precio de mercado y el beneficio esperado (el denominado *price earning ratio*, PER, que relaciona el precio de una acción con los beneficios por acción, el número de veces que el beneficio está comprendido en la cotización) o aquellos otros basados en el coste de reposición de los activos materiales (como los basados en la «Q de Tobin»)[32] parecían haber perdido toda su significación cuando se aplicaban a la mayoría de los valores representativos de la nueva economía. Algo similar ocurría con aquellas otras medidas utilizadas para la comparación de los rendimientos de las acciones con los de otros activos financieros, en particular con los de los bonos. Todas ellas parecían asumir un descenso espectacular en la prima por riesgo que tradicionalmente se le exigía a las acciones frente a los bonos emitidos por prestatarios de la máxima solvencia, como algunos estados. Un descenso, en todo caso superior a las mayores posibilidades de control de la inflación o al también tradicionalmente asumido mejor comportamiento a largo plazo del rendimiento de las acciones frente a los activos normales de renta fija.

Si los mercados asumían esa decodificación valorativa y, por tanto, la dificultad para el contraste y las comparaciones históricas, los responsables de nuevos proyectos empresariales relegaban el cuidado de los resultados, de la generación de beneficios, a la influencia en el corto plazo sobre el sentimiento de unos inversores nada escrupulosos con planes de negocio sin apenas fundamentos. Las definiciones de ingresos y beneficios pasaron a disponer de una holgura sin precedentes, subordinados en casi todos los casos a estimaciones del número de clientes, de visitantes o de *clicks*, dependientes de esa exponencial propagación de la red. Criterios todos ellos que por sí solos estimulaban el nacimiento y la rápida llegada a los mercados de capitales de numerosos proyectos, sin necesidad de demostrar su viabilidad con arreglo a los viejos cánones valorativos. Lo sorprendente, en todo caso, no era esa imaginación contable de quienes lideraban los proyectos, sino su aceptación por quienes hasta hacía años se habían conducido por una métrica bien distinta en la valoración de acciones.

El 3 de diciembre de 1996, el profesor de economía de la Universidad de Yale, Robert Shiller, en un testimonio ante el Consejo de la Reserva Federal presidido por Alan Greenspan, calificaba de irracional el nivel en el que se encontraban los precios de las acciones en su país. Dos días después, en una conferencia durante la cena anual del American Institute Enterprise, Greenspan se preguntaba: «¿Cómo podríamos saber si el mercado de acciones está sujeto a una exuberancia irracional?». A juzgar por su inmediata reacción, los mercados diferenciaron la retórica de la advertencia implícita en ese interrogante: las cotizaciones en todas las bolsas del mundo cayeron de forma significativa, al tiempo que quedaba acuñada la caracterización a la que más se ha recurrido desde entonces para subrayar ese divorcio entre precios bursátiles y fundamentos de las empresas, propio de la fase alcista más intensa y prolongada del mercado de acciones estadounidense; también la más volátil de su historia [33]. La verdad es que esa corrección duró poco; el más representativo de los índices bursátiles neoyorquinos, el Dow Jones Industrial Average, presentaba entonces un valor de 6.537 y, a principios de 2000, superaría los 11.700, suficiente para acreditar esa calificación del *boom* del milenio y, de paso, cuestionar el significado de esa sentencia en la que estaba implícito un manifiesto alejamiento de las cotizaciones de las acciones de los principios hasta entonces considerados adecuados para la valoración de las empresas.

A pesar del predicamento del presidente de la Reserva Federal sobre los mercados financieros, éstos parecían prestar más atención a aquellos analistas que admitían la posibilidad de que el instrumental valorativo utilizado hasta entonces se revelara inadecuado en la dinámica de profunda transformación e innovación en la que estaba inmersa la economía estadounidense. Otros, sin abdicar de los criterios de valoración de toda la vida, reconocían, sin embargo, la excepcionalidad de esa revolución en la forma de operar de las empresas y en su potencial transformador, justificando las rupturas de los hasta entonces considerados límites razonables a la euforia bursátil.

La relación precio-beneficio (PER) de muchas acciones ascendía a niveles sin precedentes que suponían la continuidad de esa tendencia (la presunción de rentabilidades crecientes, ya fuera procedentes de los beneficios de las compañías o de elevaciones adicionales de las cotizaciones, o de ambos), sin condicionar la reducida aversión al riesgo con que se mostraban los inversores hacia cualquier proyecto que directa o indirectamente tuviera alguna relación con Internet [34]. La ausencia de beneficios no era un factor suficientemente inhibidor de la inversión, en la medida en que se asumía que éstos vendrían cuando la revolución tecnológica estuviera asentada. Lo importante era estar presente en esa suerte de redistribución de las oportunidades de prosperidad que permitía la nueva economía.

La obtención de financiación dejó de ser esa barrera crítica para emprender nuevos proyectos: perdió gran parte de ese carácter de proceso formal, ritualizado, susceptible de influir psicológicamente en los prestatarios, como señala Peter Martin [35]. La continuidad de tasas de rentabilidad como las que exhibían los mercados de acciones estimulaban el endeudamiento bajo cualquiera de sus formas, menoscabando la necesaria atención sobre la capacidad de generación de ingresos de las empresas. Parecía ser más intensa la rivalidad por conceder esa financiación que por analizar algo más que los recursos con que partían las empresas recién nacidas. La intensa competencia por captar el muy demandado personal cualificado, la rapidez por señalizar al mercado, desplazaba la atención sobre la capacidad de generación de ingresos (y de márgenes) de las empresas a un segundo plano. Sólo era cuestión de tiempo en un horizonte incapaz de ubicar la posibilidad de discontinuidad de esa fiebre emprendedora en torno a las promesas que ofrecía la red. Los mercados financieros penalizaban más a los lentos que a los equipados con endebles planes de viabilidad de sus nuevas empresas. La directa experimentación era mejor valorada que la reflexión acerca de la viabilidad de numerosos planes de negocio.

Una avidez tal estimulaba a su vez la creación de empresas, su rápida salida a bolsa a través de las correspondientes ofertas públicas de acciones y el crecimiento de la inversión en las ya existentes, incluidas agresivas adquisiciones. Eran las manifestaciones financieras de ese «capitalismo impaciente»: un proceso aparentemente inspirado en esa mayor disposición a perder dinero antes que tiempo, que realimentaba la dinámica de innovación, aun cuando existiera la razonable presunción de que un buen número de esas nuevas empresas no llegaría a la adolescencia. Una dinámica tolerante con estrategias generadoras de pérdidas en los primeros años, en tanto quedaban compensadas por la expectativa (en la mayoría de las ocasiones sólo la ilusión) de que cada nueva empresa podía llegar a ser la próxima Microsoft. Si en algunas de esas compañías, de forma destacada el caso de Amazon.com, esa estrategia generadora de pérdidas estaba amparada en la obtención de decisivas cuotas de mercado derivadas precisamente de las economías de red que más tarde quedarían ampliamente compensadas con ingresos, en muchas otras el horizonte de resultados positivos no hacía sino alejarse a medida que pasaba el tiempo.

La presencia en la red era por sí sola un atributo que en muchos casos se anteponía a la generación de ingresos suficientes. El objetivo de atracción de una base suficiente de clientes en la red, en el caso de compañías ya establecidas, no sólo subordinaba la generación de ingresos (o de ahorro de costes) suficientes, sino que se hacía mediante subsidios de los procedentes de la actividad tradicional. Apoyos también procedentes de los gobiernos, renuentes o incapaces de cubrir el vacío legal que suponía y supone la fiscalidad de las transacciones en la red.

Favorables a la alimentación de esa exuberancia bursátil eran las propicias condiciones de financiación dentro y fuera de la economía estadounidense, desde la existencia de tipos de interés relativamente reducidos para los activos de menor riesgo (la pérdida de atractivo de unos bonos públicos con una rentabilidad decreciente) hasta la marcada preferencia del ahorro nacional y exterior por tomar parte en esa gran fiesta inversora, amparada en la presunción de continuidad de las excepcionales tasas de crecimiento de la productividad y de los beneficios empresariales. Norteamérica, de forma particular sus mercados de acciones, volvía a reeditar aquella capacidad de atracción de capitales exteriores de cien años antes, otra vez fundamentalmente europeos, que aceleraron la particular revolución industrial en aquel país. La más explícita contrapartida era el ascenso del endeudamiento privado a niveles sin muchos precedentes.

El elevado apalancamiento financiero de empresas y familias, situado en el máximo de los últimos cincuenta años, acabaría constituyendo una fuente más de excesos que rodeaba de vulnerabilidad al propio proceso de expansión de la economía estadounidense, manifestándose de forma explícita en el deterioro de la calidad crediticia de muchas de ellas y en el aumento de la insolvencia a medida que esa fase de expansión acentuaba su madurez [36].

La intensa demanda de financiación y la ausencia relativa de retornos suficientes terminaron introduciendo un cierto racionamiento del ahorro, una elevación del coste de capital y, finalmente, un aumento de las pérdidas o un descenso de los beneficios en aquellas que los tenían, como las más activas compañías de telecomunicaciones. Estas últimas, estimuladas por las posibilidades ofrecidas por Internet y las nuevas generaciones de telefonía móvil, se embarcaron en intensos planes de inversión en infraestructuras y en la adquisición mediante subastas de licencias de tercera generación de móviles por sumas en algunos casos astronómicas que determinaron esas perspectivas de beneficios a la baja y una rápida degradación de la calidad crediticia.

La realidad acabó dando la razón, al menos parcialmente, a Robert Shiller, en la caracterización de esa fase de ascenso en las cotizaciones como prototípica de las «burbujas especulativas»: una situación en la que, de forma temporal, los elevados precios están sostenidos en gran medida por el entusiasmo de los inversores más que por la consistente estimación del valor real. Un paréntesis en la satisfacción de las cada vez más cuestionadas condiciones de eficiencia, en el que los mercados hacen caso omiso de la experiencia y de las herramientas valorativas, reflejando en mayor medida comportamientos gregarios de los inversores, de manada, para cuya explicación es preciso recurrir a las disciplinas del comportamiento, particularmente a la psicología de masas, como nos sugiere Robert Shiller, entre otros. En marzo de 2000 asistíamos al inicio de una de las correcciones más pronunciadas de los mercados de acciones estadounidenses y del resto del mundo que seguía vigente hasta bien entrado 2001.

Conviene subrayar que se trata de una situación en modo alguno nueva en la historia de las finanzas. La actual sería la tercera o cuarta oleada de «nuevas economías» desde el siglo XIX, con algunos significativos precedentes como los que ha destacado Shiller a principios del siglo XX tras la emergencia de las posibilidades asociadas a las transmisiones trasatlánticas por radio introducidas por Guglielmo Marconi en 1901, dos años después de que lo hiciera a través del canal de la Mancha. Las expectativas creadas por la nueva tecnología de entonces (susceptible de posibilitar una poco menos que inmediata comunicación con Marte) desencadenaron un proceso de concentración de empresas amparado en la excelente recepción del mercado de acciones, hasta el *crash* de 1907, poco anterior a la crónica referida de Clerq, en cuyo rescate jugó un papel esencial el padre de la banca americana J. Pierpont Morgan. También conviene recordar que el 99% de las casi 5.000 compañías de ferrocarriles y las 2.000 de automóviles, que nacieron con la pretensión de explotar esas innovaciones, fueron verdaderos fracasos. En los años veinte la extensión de la electricidad también amparó presunciones de transformación económica que derivaron en situaciones de euforia bursátil, sin llegar a consolidar, sin embargo, los valores alcanzados por las acciones de las compañías más prometedoras.

Purgas, resaca y lecciones

En los diecisiete meses que mediaron entre octubre de 1998 y marzo de 2000 el Nasdaq Composite Index se triplicó, hasta alcanzar ese máximo de toda su historia, expresivo del «*boom* del milenio». La misma afirmación que se hizo acerca de la industria de los ordenadores personales —«la mayor acumulación legal de riqueza de la historia»— se pronunció con relación a Internet antes de que explotara la burbuja bursátil en que el sector se encontraba inmerso. El final de la burbuja, al menos gran parte de su desinflamiento, tuvo lugar en dos fases fundamentales, comprensivas de distintos periodos en los que con desigual extensión se fue destruyendo gran parte de la riqueza financiera creada en los años anteriores, hasta configurar un verdadero *crash* por entregas cuya cuantía en ese año 2000 superó el PIB de China. Aunque la primera fase fue la más dramática, la segunda tuvo un mayor alcance; a partir de marzo, y de forma más espectacular a partir del 14 de abril, influidas parcialmente por los derroteros por los que discurría el caso Microsoft en los tribunales, las empresas más próximas a Internet sufrieron un severo castigo, superior al 25%. Tras una clara recuperación (a finales de junio el índice Nasdaq estaba por encima de los niveles registrados a principios de año y marcaba una revalorización anual del 80%), la corrección que tiene lugar en la segunda fase, a partir de septiembre, fue más propia de una lenta y larga agonía que ya no extendía sus efectos únicamente a las compañías más directamente ubicadas en la red, sino que hizo lo propio con las vinculadas, ya fuera de forma indirecta, con las tecnologías de la información y de las telecomunicaciones, dentro y fuera de Estados Unidos.

En el límite de la euforia, las compañías de tecnologías de la información y las telecomunicaciones suponían el 36% del valor de todas las acciones de Estados Unidos, frente a sólo un 10%, diez años antes. Tras el pinchazo, al menos hasta el final de 2000, representaban un 23%. El sectorial Dow Jones Stoxx Telecom Index registraba una pérdida en el conjunto del año superior al 30%. Tras los recortes bursátiles en Estados Unidos, el conjunto del sector en todo el mundo sufrió las consecuencias, con independencia de los excesos que le precedieran en cada país. Incluso las recientemente envidiadas operadoras de telecomunicaciones europeas empezaban a sufrir los rigores de un endurecimiento crediticio, hasta en los mercados de bonos de alto rendimiento. Algunos bancos centrales y supervisores financieros alertaban a las entidades bancarias acerca de los riesgos en ese tipo de compañías, con elevados grados de apalancamiento [37]. El ajuste en gastos, el recorte de las plantillas, eran ahora los exponentes de esa resaca financiera que no discriminaba por razón de la antigüedad en ese censo de compañías de la nueva economía [38]. Muchas de las más jóvenes, especialmente las precedidas de la emblemática «e» o las que exhibían el «puntocom» como remate de su razón social, directamente desaparecían del censo.

Un año después, el lunes 12 de marzo de 2001, el Nasdaq Composite cerraba por debajo de 2.000 por primera vez desde diciembre de 1998, desde el máximo 5.048,62 de un año antes: la mayor pérdida de un índice bursátil estadounidense desde la Gran Depresión [39]. Los valores más emblemáticos de la nueva economía registraron caídas no muy inferiores a los del índice (Microsoft perdió un 53% en esos doce meses, Intel un 60%, Cisco System un 76%, Oracle un 75%), con el consiguiente efecto depresor sobre el más amplio índice de la Bolsa de Nueva York S&P500 (entre cuyos veinticinco principales valores están incluidos), que perdía un 20% desde su máximo, variación mínima exigida para obtener la definición estándar de un mercado bajista y el DJIA lo hizo en un 23% [40]. Una pérdida de riqueza financiera equivalente al 40% del PIB estadounidense (de la que el descenso del Nasdaq era responsable del 35%) el doble de los destrozos originados por el *crash* de 1987. El resto de los nuevos mercados, desde luego los europeos, no corría mejor suerte.

La evocación de otras crisis bursátiles estaba justificada, a juzgar por la magnitud de las pérdidas de riqueza originadas por ésta; pero las diferencias eran suficientes para que, más allá de la curiosidad histórica, la más recurrida crisis de los tulipanes en el siglo XVII no guardara más rasgo en común con la actual que el hecho de que después de aquélla quedó asentado un verdadero mercado de bulbos, con su centro de gravedad en Holanda [41]. A pesar de que las hipótesis de crecimiento de las compañías de Internet supervivientes hayan sido reducidas sustancialmente, éstas seguirán existiendo, aunque sean menos.

No es necesario ir tan lejos en el tiempo. A mediados de los ochenta, la irrupción del ordenador personal también significó una intensa discontinuidad tecnológica, una explosión de ingresos para las compañías del sector que se tradujo en un comportamiento bursátil no menos espectacular, al que sucedió un intenso ajuste de valoraciones. Fue entonces cuando la compañía Intel lanzó su microprocesador 386 (con la incorporada promesa de un amplio y fácil uso del ordenador personal), y Texas Instruments introdujo su red local de *chips* (anticipadora de esa capacidad hoy extendida de interlocución entre los ordenadores). En los seis meses finales de 1985 la corrección fue superior a la que hubiera justificado el ya pronunciado descenso en las ventas de las empresas fabricantes de *chips*. En ambas oleadas de innovación, las posibilidades de aplicación de las mismas (su incorporación a las actividades empresariales, a las administraciones públicas, a la educación, etc.), su impacto, en definitiva, sobre la vida de las personas, era significativo, pero la trascendencia de las correcciones valorativas de los mercados es desigual, dado el más amplio conjunto de actores implicados en esta ocasión. No sólo existe ahora un mayor y más heterogéneo número de accionistas, sino que gran parte de éstos se han convertido en inversores en capital riesgo: tienen sus intereses en compañías cuyos beneficios son menos ciertos que los que generaban las empresas de entonces cuando, antes de ser ofrecidas sus acciones públicamente a los inversores, habían transcurrido varios trimestres con cuentas de resultados positivas.

Como en cualquier revolución (también ocurrió lo mismo con los ferrocarriles), las empresas que sobrevivieron fueron las menos, pero sí las más apoyadas en planes de negocio y, desde luego, en beneficios potenciales. A partir de entonces se va imponiendo una nueva educación: los beneficios empezaron a contar, y no para calificar de anticuado a cualquier proyecto de Internet que aspiraba al favor de los inversores más directamente instalados en la feria de las vanidades y el esnobismo al uso. Numerosas ofertas públicas de acciones quedan aparcadas, al tiempo que se revisan los ejercicios de valoración, ahora con los patrones de medición de toda la vida, extendiéndose la presunción de que más del 90% de las compañías del sector de tecnologías de la información estaban sobrevaloradas por los mercados de acciones. En el primer cuatrimestre de 2001 tan sólo veintitrés compañías hicieron una oferta pública de acciones en Estados Unidos (el menor registro cuatrimestral desde 1985), frente a las 185 del mismo periodo de un año antes.

El año 2000 se despedía del sector en su conjunto con una capitulación en toda regla y abría una fase de consolidación. También puso de manifiesto el elevado grado de interdependencia entre las economías, desde luego el de los mercados, exhibiendo una sincronía que por sí sola constituye el más explícito exponente de la madurez alcanzada por el proceso de globalización financiera. En el seno del grupo de países industrializados lo relevante en las decisiones de diversificación de carteras de inversión ya no es tanto el país donde las empresas están domiciliadas, como el sector al que pertenecen. En un entorno tal, los riesgos también se globalizan más fácilmente, como ya nos había anticipado la crisis asiática de 1997.

La severidad con que se manifestaron las purgas bursátiles que se sucedieron en los valores tecnológicos a partir de abril de 2000 constituyó una vía de selección, pero en modo alguno alteró los fundamentos de la nueva economía y, en particular, la intensidad de esa dinámica de cambio generada por el desplazamiento de actividades empresariales a la red y por la generación de inversiones tendentes a facilitar su uso. Desde los fabricantes de *software* de *e-commerce*, hasta los vendedores de equipo han continuado creciendo, aunque es cierto que sobre bases mucho más firmes y selectivas.

Un año después de ese máximo bursátil, en plena extensión de las severas correcciones que sufrían los mercados, se anticipaba la entrada de Internet en una segunda fase, la definida por su aplicación a las empresas de la economía tradicional. Según Ed Zander, vicepresidente de Sun Microsystems, Internet dejaba de ser un negocio para asumir su verdadera naturaleza, la de una tecnología transformadora de los procesos. Es cierto que anticipar la muerte de Internet por el hecho de que las empresas que más lo promocionaron atraviesen correcciones en su valoración, o directamente desaparezcan algunas de ellas, es tan erróneo como aquellas similares afirmaciones respecto a la electricidad, el teléfono o los ferrocarriles cuando algunas de sus empresas atravesaron dificultades parecidas.

Internet alimentó esa euforia financiera ahora convertida en resaca, pero sus transformaciones disponen de más vitalidad que nunca. Los cambios que ha determinado no sólo no pueden minimizarse sino que, en su actual extensión a las empresas tradicionales, empezarán a poner de manifiesto todo su potencial en la generación de ganancias de eficiencia. Eso sí, sobre la base más firme de la generación de beneficios, olvidada en gran parte por las empresas que lideraron esas transformaciones. No está justificado, por tanto, que a la exuberancia irracional le suceda una suerte de pesimismo de la misma naturaleza. Si los años finales del siglo XX presenciaron los más bajos costes del riesgo en muchas décadas, la resaca trajo consigo una elevación de las primas correspondientes que se irán reduciendo a medida que se digiera esa sobredosis inversora y se alejen definitivamente las amenazas implícitas en la intensa desaceleración en el ritmo de crecimiento económico del país que lideró la emergencia de la nueva economía. El final de la «tecnoeuforia», la vuelta a momentos más próximos a la realidad de siempre, no significa el retorno de la vieja economía.

CAPÍTULO 5
PERMEABILIDAD GEOGRÁFICA

Resulta difícil encerrar en un solo país la economía basada en la red, la economía del conocimiento. Sus fundamentos —la versatilidad de aplicaciones y la conectividad que posibilitan las tecnologías de la información y de las telecomunicaciones— y sus principales implicaciones —la generación de externalidades de red— propician la extensión, no sólo del número de agentes, sino del ámbito geográfico en el que pueden arraigar. En realidad, es la propia geografía la que pierde relevancia económica, al menos la que tradicionalmente tenía asignada en decisiones básicas, como las de localización. La significación de la dimensión espacial de los mercados es menor, dado que cada vez es menos nítida la frontera entre los mercados de productos y los de servicios. La que emerge es una economía basada en redes que aglutinan comunidades de la misma naturaleza, pero no tanto en el espacio geográfico como en el virtual; es una economía que requiere de la ampliación de las mismas y del crecimiento en el número de sus ocupantes.

A diferencia de otras revoluciones tecnológicas, la actual tiene lugar en un contexto internacional caracterizado por una creciente integración, en el que distintas fuerzas (la reducción de los costes en el comercio internacional o la extensión de la inversión de la misma naturaleza) contribuyen a diluir las fronteras entre las economías. El acceso de un número creciente de países a las mismas tecnologías, la configuración en torno a sistemas de organización más homogéneos y la adopción de similares políticas económicas son consecuencias de la convergencia propiciada por esa unificación creciente del espacio económico. Convergencia entre un número cada vez mayor de economías que, resulta obvio, no necesariamente se traduce en la obtención de los mismos resultados.

En realidad, la creciente integración económica internacional y la irrupción de esas transformaciones propias de la nueva economía constituyen dos fases absolutamente complementarias de la evolución del sistema económico; de esa suerte de metamorfosis que está experimentando el capitalismo, renovadora de una vitalidad que, lejos de su anquilosamiento, afianza su capacidad de reproducción. Dos tendencias con dinámicas desigualmente intensas, pero que comparten algunos factores determinantes y se encuentran en la segunda mitad de la pasada década, reforzándose mutuamente, facilitando esa avanzada convergencia de sistemas económicos, de instituciones y políticas. Si el proceso de globalización, aunque desigualmente explícito desde hace siglo y medio, se manifiesta en toda su extensión a principios de los ochenta, propiciando el anuncio del «fin de la geografía», es a mediados de los noventa cuando su principal impulso procede de los avances en las tecnologías de la información y de las telecomunicaciones: de la incorporación a distintas áreas de la actividad empresarial de esa corriente de innovación. En esa convergencia radica la necesaria complicidad que en lo sucesivo mantendrán recíprocamente; la competencia internacional seguirá estimulando la adopción de reformas estructurales propicias al arraigo de las transformaciones propias de la nueva economía en un número creciente de países.

Asumir el carácter irreversible de los rasgos básicos de esa nueva configuración de la economía en Estados Unidos es, por tanto, equivalente a hacer lo propio con la necesidad de su reproducción, con la exigencia de alcanzar demandas potenciales superiores, afianzando el atributo más emblemático de la nueva economía: su proyección transfronteriza. Un rasgo implícito en esa asociación a la red de redes se sintetiza en el incitador eslogan «Hoy América, mañana el mundo», aunque no se trate de un empeño fácil.

También, a diferencia de otras dinámicas de innovación, ese elevado grado de integración internacional y la propia naturaleza de las tecnologías de la información favorecen una más fácil y barata difusión, más allá de algunos países industrializados. Es un hecho que la difusión de Internet ha tenido lugar con más rapidez que ninguna otra tecnología en la historia[1]; su definitivo arraigo en economías en desarrollo subyace como hipótesis central cuando se anticipa esa posible redefinición de la geografía de la riqueza, dependiente en última instancia de la capacidad para asumir las reformas estructurales que faciliten la generación de ganancias de eficiencia observadas en Estados Unidos y en otras economías avanzadas. Si la dotación tecnológica no constituye una barrera insalvable para la asociación a la red de redes, su asimilación completa por economías hoy menos eficientes puede llegar a deparar ventajas más explícitas que las observadas en Estados Unidos. Así, países con sistemas comerciales y de distribución menos eficientes, aquéllos con mercados más protegidos, son precisamente ahora los más expuestos al contraste con las posibilidades digitales de intercambio y, en consecuencia, donde los ahorros potenciales en márgenes de distribución y los incrementos de productividad pueden manifestarse de forma más intensa. Algo similar cabe esperar de la extensión de la digitalización a otros ámbitos de la actividad económica y social.

Esa misma lógica es la que ampara las posibilidades de diseminación tecnológica y de inserción en la red de las economías menos desarrolladas. Las mayores facilidades para la difusión de la información y del conocimiento deberían permitir la reducción de esa brecha hoy existente en los niveles de desarrollo económico. La mejora de las infraestructuras (en algunos países deberíamos hablar realmente de su creación) y el fortalecimiento de los sistemas educativos se presentan como condiciones básicas para reducir esa nueva forma de diferenciación, de división digital, entre individuos y países que ya se manifiesta de forma suficientemente explícita. La historia, sin embargo, ampara el escepticismo acerca de las posibilidades de convergencia. Desde el inicio del patrón oro, en los años sesenta del siglo XIX, en que se localiza el comienzo de la primera fase del proceso de globalización, la aproximación entre estándares de prosperidad económica no ha sido tan explícita. Esa convergencia sólo ha sido real entre un selecto grupo de países, los pertenecientes al «primer mundo».

El análisis de las posibilidades de difusión de esas transformaciones y el contraste de su arraigo en Europa y en Estados Unidos es el principal propósito de este capítulo.

La brecha digital

Nos lo ha recordado Jeffrey Sachs [2]: el 15% de la población mundial genera la práctica totalidad de las innovaciones tecnológicas en el mundo; menos de la mitad de esa población es capaz de adoptar esas tecnologías, ya sea en la producción o en el consumo; aproximadamente una tercera parte de la población mundial está tecnológicamente desconectada: es incapaz de innovar y de asimilar las tecnologías foráneas. Una parte significativa de esos grupos tecnológicamente excluidos pertenecen a países en los que, en otras regiones, han sido capaces de absorber los avances tecnológicos. Estas consideraciones genéricas son igualmente válidas para las tecnologías de la información y de las telecomunicaciones.

Que las tecnologías en las que se basa la nueva economía sean más baratas y fáciles de difundir no es equivalente a que no contribuyan a la ampliación de la importante brecha hoy existente en niveles de desarrollo entre países. Tampoco esa mayor permeabilidad geográfica permite observar los mismos efectos en aquellas economías en las que esas nuevas tecnologías han conseguido penetrar. Las diferencias son considerables, no sólo entre los países industrializados y los menos desarrollados, sino en el seno de aquéllos, entre distintos grupos sociales. Además de la distinción geográfica, el acceso efectivo diferencial a las tecnologías de la información y las comunicaciones se encuentra condicionado por barreras de naturaleza material, financiera, cognitiva y política [3].

El concepto de «división digital» se refiere a esa distancia entre individuos, familias, empresas y áreas geográficas en el acceso a las oportunidades que ofrecen esas tecnologías. Aunque las diferencias más explícitas que explican esa distancia digital sean las observadas entre países, las existentes en el seno de los mismos pueden ser igualmente relevantes y, en última instancia, están determinadas por los mismos factores: renta y educación [4].

Por ejemplo, el principal exponente de esta nueva oleada de innovación tecnológica con potencial de transformación económica, Internet, está muy desigualmente distribuido. La penetración de la red en los países menos desarrollados de África, Oriente Medio y América Latina se mantiene significativamente por debajo de los niveles (comprendidos entre el 25% y el 50% de la población) propios de los países industrializados y del sureste asiático; en algunas de esas regiones apenas tiene acceso a Internet el 1% de la población. En ciertos países en desarrollo, el crecimiento de la implantación del teléfono sigue siendo manifiestamente inferior al de la población. En realidad, como nos ha recordado Wilson [5], la mitad de la población mundial nunca ha oído el sonido del teléfono, al tiempo que los tres hombres más ricos del mundo (dos de ellos gracias a la economía digital) poseen una riqueza total superior al PIB de las cuarenta y siete naciones más pobres del mundo. Pero la división digital, el riesgo de esa *e-limination* del que se advierte en los países en desarrollo, excede a la desigual extensión de la red.

Sin menoscabo de que las tecnologías de la información y de las telecomunicaciones comporten menores exigencias que otras para su difusión y arraigo, es un hecho que su extensión es dependiente de infraestructuras básicas, esencialmente en telecomunicaciones, y de un cierto grado de madurez de las instituciones económicas y educativas, ausentes en la mayoría de las economías menos desarrolladas. El indicador más importante, al menos el más inmediato, de división digital es el número de líneas telefónicas por cada cien habitantes y el precio de acceso a las mismas. Junto a ello, la inversión en educación, su estrecha vinculación con la investigación y el desarrollo, se presenta como el principal factor estratégico en esa más completa configuración global. Un factor susceptible de generar rendimientos más explícitos en la carrera por la inserción en la nueva economía, ahora sujeto a restricciones menos vinculantes que las impuestas por su hasta hace poco dominante transmisión presencial.

El caso hasta ahora más ampliamente exhibido para poner de manifiesto esa fácil globalización de la economía digital es el de India, y, más concretamente el de Bangalore, paradigma de las posibilidades de clonación de Silicon Valley, a través de la agrupación, más o menos programada, de empresas homogéneas sectorialmente susceptibles de atraer recursos humanos con el grado de cualificación suficiente y desempeñar un papel cada día más relevante en el conjunto de esa industria a escala global.

El valor de la producción de tecnologías de la información en India se dobla cada año y medio, al tiempo que su participación en el mercado mundial de desarrollo de *software* no deja de ampliarse, alcanzando ya una cuota próxima al 20%. Con datos divulgados por D. Gardner [6], las exportaciones de *software* en el ejercicio fiscal de 1999 alcanzaron 3.900 millones de dólares, de un total de ventas de 5.000 millones, al tiempo que 253 de las 500 mayores empresas confían la satisfacción de sus necesidades de *software* a empresas de aquel país. El éxito de India como uno de los principales centros de desarrollo tecnológico ha de ser explicado básicamente por la eficacia de la educación en las tecnologías de la información. Sus seis selectivos institutos de tecnología (una creación de los años cincuenta del siglo XX, apenas alcanzada la independencia) son los responsables de ese desarrollo y de la demanda por el resto del mundo de sus profesionales. Hasta el año 2000, el 20% de los licenciados en esos centros marchaba a Estados Unidos; el resto de esa reserva de ingenieros impulsa la producción doméstica que se beneficia de la lengua dominante en la industria, de franjas horarias compatibles con Silicon Valley (que permite trabajar mientras su principal mercado duerme) y, no menos importante, de costes verdaderamente competitivos, con una calidad completamente homologable a la estadounidense [7].

Un número creciente de empresas, nuevas y ya existentes, no se limita sólo a estimular la contratación de profesionales indios, sino que directamente localizan sus inversiones en aquel país. Uno de los casos más recientes y comunes es el de la nueva empresa creada por el indio Sabeer Bhatiac, fundador del correo gratuito Hotmail, vendida a Microsoft hace años. La empresa creada, Arz00.com, ofrece un servicio de alto valor añadido y exigencias de cualificación profesional, como es la solución de problemas informáticos: desde India y por un verdadero ejército de ingenieros de *software* de aquel país [8].

Con todo, esas ventajas no pueden ocultar la distancia del conjunto del país a los estándares de las economías avanzadas. Con una población de 1.000 millones de personas, India no tiene más de

25 millones de conexiones telefónicas y menos de un millón a Internet. A pesar del crecimiento en el número de usuarios de la red, en gran medida gracias al importante crecimiento de la industria de desarrollo de *software*, los proveedores de Internet se concentran en las veinte ciudades más pobladas y atienden sólo a los consumidores con mayor nivel de renta. Los enormes costes de acceso de las miles de pequeñas ciudades, la ausencia de infraestructuras básicas, amenaza con reproducir en el seno del país esa división digital observada a escala global.

La conectividad que propicia la red puede constituir, en efecto, un elemento fundamental en la integración de los países en desarrollo en la nueva economía, y con ello en el todavía diferenciado proceso de globalización. Internet puede llegar a conseguir lo que no han hecho las múltiples rondas multilaterales de negociación comercial, especialmente para aquellas economías que han superado el más bajo umbral de pobreza. Además de India, los mercados de China, Brasil y México son un aliciente para las grandes empresas multinacionales y, al igual que ocurre con otras economías menos desarrolladas, su relativo retraso en la asimilación de las tecnologías tradicionales no debería constituir un obstáculo insalvable para la inserción en ese nuevo orden económico en el que las tecnologías dominantes serán menos restrictivas, de más fácil propagación a lo largo del mundo.

La capacidad de atracción de inversiones extranjeras de China refleja la apuesta que tanto las autoridades nacionales como las grandes empresas multinacionales han hecho sobre la ubicación en la nueva economía de ese país. La localización de fabricantes de semiconductores, teléfonos móviles y cualquier otro mecanismo electrónico encuentra en aquella economía algo más que las tradicionales ventajas relativas en costes del factor trabajo. Sólo las refinerías de petróleo parecen competir con las factorías o plantas de ensamblaje electrónico.

Junto a razones políticas, de apuesta decidida del gobierno de ese país a no perder la dinámica asociada a la expansión de la economía digital, también hay razones estrechamente vinculadas a la demanda, ya no tan potencial, de aquel mercado que estimulan el crecimiento de la inversión extranjera. Así, las previsiones de demanda de *chips* aportan tasas de crecimiento no inferiores al 20% anual durante los próximos años; algo similar ocurre con la demanda de teléfonos móviles. Según Motorola, uno de los principales inversores extranjeros, sobre un total ya existente de 68 millones de terminales, se alcanzarán los 250 millones en el año 2004, configurándose como el segundo mercado más importante del mundo. A esos factores hay que añadir la ventaja que de forma prácticamente estructural exhibe aquella economía: un factor trabajo abundante, económico y cada día más cualificado. Es el caso de los ingenieros, de los que una factoría de *chips* puede demandar más del millar, susceptible de encontrar oferta adecuada por el momento en unas universidades que, además de garantizar un número suficiente de egresados lo hacen con una calidad media relativamente elevada, con salarios que apenas constituyen una tercera parte de los de sus colegas japoneses u occidentales [9].

Las únicas cautelas a esta rápida inserción en la nueva economía del gigante oriental son las asociadas a la sensibilidad política y, más concretamente, a la seguridad. Cautelas que han llevado a esos grandes inversores extranjeros a definir ciertas murallas o fronteras en algunas investigaciones que, en cualquier caso, no impedirán que, antes o después, China adquiera suficiente autonomía en esas industrias.

En el año 2000, América Latina, con el 8% de la población mundial, disponía del 3,5% de los internautas y apenas el 1% del comercio electrónico global, aunque las tendencias observadas permiten anticipar un ritmo de crecimiento superior al del resto del mundo. En 1999, el número de ordenadores conectados por primera vez a la red aumentó más rápido en la región que en cualquier otra parte del mundo. El crecimiento observado en el uso de Internet en algunos países de América Latina, la capacidad de atracción de recursos financieros del resto del mundo para nuevas empresas, son la base de esas previsiones de International Data Corporation que sitúan los usuarios en más de 24 millones a partir del año 2003, desde los 8,5 millones actuales, la mitad de ellos en Brasil. Esas posibilidades de crecimiento se amparan adicionalmente en la facilidad de algunas zonas horarias con relación a la costa este estadounidense y a la jornada laboral europea. El insuficiente desarrollo de las telecomunicaciones y el coste relativamente elevado de los equipamientos informáticos sigue, sin embargo, actuando como un obstáculo importante.

Con todo, existe la clara percepción de que la facilidad para conectarse a la red global no es condición suficiente para aprovechar por completo el potencial transformador asociado a la diseminación internacional de la nueva economía y, mucho menos, para reducir la todavía importante brecha que existe entre las economías avanzadas y el resto. Y así parecen haberlo asumido instituciones supranacionales, como el Banco Interamericano de Desarrollo (BID) o la propia Comisión Europea, empeñadas ambas en catapultar a las economías bajo su jurisdicción hacia la era de la información y el conocimiento, mediante la realización de reformas estructurales en la dirección de una más explícita homogeneización con los rasgos básicos del modelo estadounidense.

Es cierto que Internet nació hablando inglés, lo que ha llevado a considerar, quizá de forma precipitada, a ese idioma como la lengua franca en la red. En 1996, el idioma de origen del 80% de los internautas era el inglés. En 2000 había descendido al 49,9%, pero se estima que en 2004 sólo una tercera parte de los usuarios de la red tendrá el inglés como primera lengua. Es de esperar que en la medida en que las aplicaciones comerciales se extiendan también lo haga la dispersión de lenguas que habitan la red. Esa pluralidad lingüística es, en efecto, la condición para que se ramifique globalmente: una concepción cada vez más universal, pero que demanda particularizaciones locales. Así, en este ámbito se hace cierta la máxima de muchas multinacionales, «pensar globalmente pero actuar localmente». Así parecen haberlo asumido empresas como Yahoo!, Amazon o eBay, entre otras, que han concretado sus despliegues y ofertas en la red en aquellos idiomas que les aconsejan los análisis del potencial de mercado de los distintos países, con el fin de reproducir el liderazgo que ya ostentan en su país de origen. Sin embargo, que la oferta de los grandes operadores en la red se vea obligada a adoptar perfiles diferenciados no significa que Internet sea, como algunos autores han defendido, una garantía del multiculturalismo.

La soldadura del mercado único: Europa en 2010

El contraste entre el comportamiento de la economía estadounidense y el de la Unión Europea durante las últimas décadas deja lugar a escasos matices. Tras un periodo de aproximación entre finales de los años cincuenta y principios de los ochenta, el crecimiento del PIB de aquella economía ha superado al de la europea, excepto en tres de los últimos veinte años, ampliándose en los últimos diez hasta el año 2000. Como consecuencia de ello, la renta por habitante de Estados Unidos se ha ido distanciando progresivamente de la de los países más avanzados de la Unión Europea y, en general, de la OCDE.

Esas diferencias son más acusadas con la zona euro, cuyo producto interior bruto por habitante no supera el 65% del estadounidense (nueve puntos porcentuales por debajo del máximo alcanzado a finales de los ochenta), y en la desigual capacidad de una y otra para garantizar niveles de empleo satisfactorios, sin duda el más inmediato de esos indicadores de inclusión social. El viejo chiste entre economistas (mayoritariamente estadounidenses), recordado por Paul Krugman, sobre la definición europea de *boom* como «un año en el que la tasa de desempleo crece menos de lo habitual», cobraba su más completa significación en los años noventa. Sólo a partir de 1997 podía observarse una mejora en esa relación entre desempleo e inflación, años después, en todo caso, de lo percibido en países como Canadá o el propio Reino Unido.

La evolución de la productividad del trabajo tampoco dejaba lugar a muchas dudas sobre la ventaja estadounidense a partir de los últimos años de la década de los noventa, revelando la mayor atención a la mejora de las condiciones de oferta y al funcionamiento de los mercados en la economía estadounidense [10]. En los países del área euro, la productividad del trabajo descendió durante la segunda mitad de los noventa. Ese declive fue más intenso en aquellos países (Francia, Italia, Holanda y España) en los que el crecimiento del empleo fue más intenso y, en consecuencia, donde la incorporación de trabajadores menos cualificados, o con contratos de carácter temporal y a tiempo parcial, ha sido relativamente mayor.

Además de Estados Unidos, Australia, Irlanda, Suecia y Finlandia ofrecen excepciones a esa negativa asociación entre el crecimiento del empleo y el de las ganancias de productividad. La intensidad de la inversión en tecnologías de la información es la explicación del aumento del potencial de crecimiento en esos países. Algo imposible de observar en España a lo largo de la última fase de crecimiento de su economía; los datos que ofrece la OCDE [11] indican que en el periodo 1987-1994 la tasa media de crecimiento de la productividad fue del 2,3% (cuatro décimas superior al promedio de los países que integraron el área euro y seis décimas por encima del promedio de la OCDE); en los años 1994-2000, la tasa española fue del 0,8%, la más baja de la zona euro y de la OCDE, que registraron promedios del 1,2% y 1,7%, respectivamente.

El triunfalismo norteamericano también se ponía de manifiesto en el recordatorio de Lawrence H. Summers [12] acerca de aquel otro chiste de finales de los ochenta que, tras constatar el final de la guerra fría, afirmaba que los vencedores habían sido Alemania y Japón. El respaldo a esa paradoja radicaba en el contraste entonces existente entre las economías de esos países y la de Estados Unidos. La baja productividad, perdidas de competitividad y excesivos déficit públicos caracterizaban a Estados Unidos, frente a la pujanza de los perdedores en la contienda mundial. Una década después las tornas cambiaron de forma significativa. Y, quién sabe, ahora podríamos preguntarnos si durante la década en curso, la primera del nuevo siglo, pueden volver a tornarse. Con ese espíritu se inició el Consejo Europeo de Lisboa en marzo de 2000, monográficamente dedicado a la definición de acciones destinadas a reducir la distancia digital con Estados Unidos.

La virtuosa coexistencia de la expansión estadounidense en los últimos cinco años de la década de los noventa con reducidas tasas de desempleo, elevados ritmos de creación de empleo, baja tasa de inflación y aceleración de la productividad renovó el interés de economistas, políticos e instituciones internacionales por el análisis de los factores que la habían propiciado. Con desiguales prejuicios y escrúpulos, algunos de ellos han reconocido la necesidad de asimilar algunos de los factores que están detrás de ese comportamiento. Como son, desde luego, la intensificación de la inversión en tecnologías de la información y de las comunicaciones, pero también aquellos otros factores de carácter estructural que, además de estimular el crecimiento de la inversión han hecho lo propio con la aplicación eficiente de esas tecnologías, con el aprovechamiento de su potencial de transformación en los distintos subsistemas en que se articulan las decisiones empresariales.

En Lisboa se abordó específicamente esa necesidad de reducir distancias entre ambos bloques económicos, aun cuando ello conllevara vencer la resistencia del continente a la importación de rasgos propios del modelo norteamericano. Una resistencia suavizada, en todo caso, mediante la expresión de las cautelas correspondientes ante la eventual generación de niveles de exclusión social que tradicionalmente se consideran propios de aquel sistema. En particular, el Consejo Europeo subrayó la necesidad de elevar en el año 2010 la tasa de empleo en el seno de la Unión Europea, desde ese promedio del 61% hasta niveles más próximos al 70%.

Un «abrazo a la nueva economía» que otorgaba un papel central a la iniciativa denominada «*e-Europa*», lanzada por la Comisión Europea en diciembre de 1999, con el fin de aprovechar rápidamente las oportunidades ofrecidas por las tecnologías digitales e Internet, y situar a toda Europa *online* (ciudadanos, empresas y Administraciones públicas). Un conjunto de veintitrés indicadores estadísticos serán expresivos de los once objetivos en que se concreta el plan de acción de esa iniciativa tendente a digitalizar Europa lo antes posible: porcentajes de conexiones a Internet, coste de las mismas, número de ordenadores por cada cien habitantes, educación en tecnologías de la información, etc. Se trata de nuevas directivas comunitarias que entrarán en vigor a finales de 2001 y que tratarán de armonizar las regulaciones relativas al acceso e interconexión de todas las redes de comunicación entre los países miembros.

Será en el año 2010, tras haber puesto a trabajar a los quince millones de parados entonces existentes, cuando la Unión Europea albergue a «la economía más competitiva y dinámica del mundo, basada en el conocimiento, capaz de un crecimiento sostenible con creación de mejores empleos y con una mayor cohesión social», según las intenciones de la Comisión Europea manifestadas en la declaración final. Un enunciado ciertamente ambicioso, utópico para algunos, que requerirá algo más que buenas intenciones. En esa reunión se adoptó un programa de reformas económicas y sociales destinadas a crear veinte millones de puestos de trabajo y conseguir una tasa de crecimiento económico anual del 3%. Entre las prioridades más destacadas se incluía la adaptación de las economías a la era de Internet, el estímulo al desarrollo de pequeñas empresas, la disponibilidad de recursos de capital riesgo y la consolidación del mercado interior. Deseos más fáciles de enunciar que de materializar en acciones concretas, reductoras no sólo de las diferencias estrictamente tecnológicas, sino de las más relevantes de naturaleza estructural.

Dotación tecnológica y adaptación estructural

La ciencia moderna nació en Europa y fueron algunos de los países hoy integrantes de la Unión Europea los que lideraron muchas de las revoluciones tecnológicas, los avances en la agricultura, en la ingeniería civil, en la prensa escrita y, desde luego, la revolución industrial del XIX. Sin embargo, por ahora, en la actual revolución digital su papel es secundario, a pesar de que algunas de las innovaciones en que se sustenta también nacieron en Europa. Es el caso de la propia World Wide Web, concebida por el físico británico Tim Berners-Lee en el CERN de Ginebra, pero también de algunos de sus antecedentes, como la concepción de la primera máquina de fax, en 1902; del primer ordenador binario digital en 1940, o de la más actual tecnología MP3 para compresión e intercambio de música. Estas tres últimas nacieron en Alemania, un país que, liderando la ingeniería de buena parte de la segunda mitad del siglo XX, se presenta ahora rezagado, detrás en todo caso de los países escandinavos o del propio Reino Unido.

En la base de esa dinámica de innovación característica de la nueva economía, y en sus resultados económicos, se encuentra una intensificación de la inversión en las tecnologías de la información y las telecomunicaciones, factor fundamental en el aumento de la productividad. Con datos de Goldman Sachs, en la economía estadounidense esas tecnologías contabilizaron un 7% del PIB en 1999, frente a poco más del 4% en la zona euro. Se asignaron más de 635.000 millones de euros a ese tipo de destinos, frente a 300.000 millones y 250.000 millones de euros en Japón y el área euro, respectivamente. Esa inversión creció entre 1996 y 1999 a un ritmo medio anual del 26,5% frente a menos del 20% en la zona euro, con una acusada dispersión, como la que ilustra el crecimiento del 32% en Finlandia e Irlanda frente al 17% de Italia y Alemania. Otros indicadores expresivos de la intensidad relativa del sector de las tecnologías de la información (empleo, valor añadido del sector, I+D o exportaciones [13]) subrayan el retraso de Europa frente a Estados Unidos. A partir de esos datos básicos puede entenderse la ventaja estadounidense en el resto de los indicadores considerados relevantes para la medición del grado de arraigo de la economía del conocimiento: número de usuarios de Internet, porcentaje de comercio *online* sobre el total, penetración de ordenadores personales entre la población, etc. [14]. Una hegemonía, en todo caso, en declive, consecuente con la difusión relativamente fácil y rápida de esas tecnologías. Así, Estados Unidos registraba al término del año 2000 una tercera parte de todos los usuarios de Internet (304 millones), mientras que, en 1997, representaban el 51%, al tiempo que la participación del conjunto de Europa ha pasado del 28% al 34% en esos años [15].

La calidad y los costes de las infraestructuras, la facilidad y la velocidad de las conexiones a la red, los costes de las llamadas locales (manifiestamente desiguales entre países, con precios prohibitivos en algunas áreas, sin la suficiente calidad de servicio) o la disponibilidad de servidores seguros para el intercambio de información privada condicionan esa desigual inserción en la economía digital de los países europeos. Además, ponen de manifiesto que, a pesar de la desregulación alcanzada en los servicios de telecomunicaciones en la generalidad de los países, la competencia llega más lentamente, en especial en aquellos segmentos, como el de las llamadas locales, de gran importancia en el acceso a Internet [16]. Pero, siendo significativo, el desfase tecnológico respecto de Estados Unidos no es el más difícil de soslayar, a juzgar por la mayoría de los indicadores. Así, tanto los datos de la OCDE como los reflejados en el trabajo de T. Mayer [17], concluyen que el conjunto de lo que se considera nueva economía en la zona euro era aproximadamente equivalente a las dos terceras partes de la correspondiente en Estados Unidos, con bases suficientes para que esa distancia pudiera estrecharse en un futuro próximo, en mayor medida si se preservan esas dos ventajas que mantiene Europa, en particular el continente, en las vías de conexión con Internet a través del teléfono móvil y la televisión interactiva.

El liderazgo de Estados Unidos en el desarrollo de la economía en la red no radica tanto en las diferencias tecnológicas como en las existentes en el entorno en el que operan las empresas. Además de los desiguales patrones de crecimiento de ambos bloques económicos, el propio ritmo de asimilación de las tecnologías de la información está más directamente relacionado con la adecuación de las instituciones y los mercados, además del sistema financiero, de manera preferente. Aun cuando la dotación tecnológica fuera similar (en realidad, en algunos países europeos no es inferior), sus aplicaciones empresariales y el asociado aumento de la productividad precisa de un entorno propicio. El papel desempeñado por los gobiernos en la generación y adopción de esas tecnologías o en la defensa de las condiciones competitivas, la mayor o menor facilidad con que las empresas encuentran aplicaciones a las mismas, sin olvidar la existencia de mecanismos adecuados de financiación, son factores que explicarían, en definitiva, la mayor o menor propensión de los sistemas económicos a albergar dinámicas de cambio, de innovación: a asumir riesgos, en definitiva [18].

El ex secretario del Tesoro estadounidense, Lawrence H. Summers [19] en un trabajo en el que se destacan las diferencias entre Estados Unidos y Europa en la extensión de la nueva economía, sintetizaba en dos los factores que habían resultado esenciales en la transformación de la economía norteamericana durante la década de los noventa: el énfasis en decisiones descentralizadas y la preservación de la competencia, procurando que las actuaciones públicas se guiaran antes por la generación de incentivos que por la mera coordinación, por un lado, y la disposición a adoptar cambios radicales, por otro.

Junto a esas actitudes y orientaciones de la política económica, el asentamiento de la nueva economía en Estados Unidos ha descansado en dos pilares básicos: la generación de suficientes y adecuados proyectos empresariales para esas posibilidades tecnológicas y la disposición de un sistema financiero para otorgarles cobertura. En ambos aspectos, el contraste entre las economías de uno y otro lado del Atlántico aporta diferencias significativas, y su reducción requiere algo más que la mera intensificación del gasto en esas tecnologías o la disposición de facilidades para su difusión. La capacidad para emprender y la actitud hacia el riesgo se presentan como los principales factores determinantes de una explotación exitosa de esas nuevas tecnologías.

En Estados Unidos, la mayoría y, en todo caso, los más importantes proyectos en torno a las nuevas posibilidades ofrecidas por la red, han sido protagonizados por empresas de nueva creación, nacidas de la nada muchas de ellas. En Europa, las más importantes, desde los propios proveedores de acceso a Internet a los principales vendedores en los canales de comercio electrónico, son empresas desgajadas de otras preexistentes, ya se trate de grandes operadores de telecomunicaciones (muchos de ellos en transición desde posiciones de poder de mercado y propiedad pública hacia entornos más competitivos), o de organizaciones comerciales largamente asentadas en la «vieja economía».

La capacidad emprendedora, la tasa de natalidad empresarial, está en el origen de cualquier proceso de innovación, de la creación de nuevos productos y servicios y de nuevos procesos y métodos operativos, y ésta ha encontrado en la mayoría de los países de Europa menores incentivos a los existentes en Estados Unidos. La distinta actitud hacia la asunción de riesgo, y hacia el fracaso, está en la base de esa desigual capacidad de generación de innovación, susceptible de explicar a través de múltiples factores, desde los más fácilmente observables (barreras y trámites administrativos en la creación de empresas, fiscalidad, sistema educativo, menores recursos asignados a la difusión del conocimiento, defensa de la competencia, etc.) hasta los más arraigados en las actitudes sociales y culturales. Muchos de estos obstáculos han impedido no sólo el crecimiento en el número de empresarios, sino lo que sin duda es más importante, que la asignación de nuevos talentos a la función emprendedora haya sido en Europa mucho menor que la observada en Estados Unidos. Por tópico que resulte, no deja de ser significativo el contraste en las proporciones de licenciados en administración de empresas que, a uno y otro lado del Atlántico, optan por crear sus propias empresas, frente a los que mantienen la aspiración de trabajar en grandes organizaciones, incluidas las de naturaleza pública.

En la explicación de esas diferencias entre Estados Unidos y la Unión Europea, uno de los factores más importantes es, sin duda, el papel que desempeñan los respectivos sistemas financieros, la desigual capacidad para adecuar su estructura institucional y operativa a la dinámica de innovación. Como se comentó en el capítulo 4, el menor peso específico de la intermediación bancaria tradicional, más exigente con la existencia de garantías concretas como respaldo a la inversión crediticia, y el mayor protagonismo de los mercados de capitales en todas sus formas, reduce esa en ocasiones insalvable distancia que en la mayoría de las economías continentales existe entre la concepción de un proyecto y su entrada en funcionamiento. Una de las vías de contraste entre distintos sistemas financieros es precisamente esa mayor o menor flexibilidad para dar cobertura a la innovación, para dotar de recursos suficientes al nacimiento de empresas en sectores igualmente nuevos o, por el contrario, limitarse a la financiación de los negocios consolidados.

Si la existencia de amplios mercados de acciones y una no menos extensa base de inversores institucionales e individuales sigue siendo un rasgo diferenciador significativo, no lo es menos la proliferación de instituciones específicamente orientadas a la financiación de proyectos con mayor riesgo, con activos menos tangibles que ofrecer como colaterales, o de aquellas otras dedicadas al fortalecimiento de la gestión de las empresas recién nacidas, a albergarlas en «incubadoras» en las que la cooperación con las escuelas de administración de empresas facilita esa necesaria transición entre el sistema educativo y la realidad empresarial.

Esa mayor facilidad para la transferencia del ahorro hacia la inversión en proyectos con riesgo relativamente elevado, su más directa vinculación con la creación de nuevas empresas por nuevos emprendedores, susceptibles de remover las posiciones adquiridas por las empresas de toda la vida, es un factor común a cualquier análisis del arraigo de la nueva economía en Estados Unidos. En este aspecto, ha sido fundamental el papel de los fondos de capital riesgo en dicho país, convirtiéndose en el nexo de unión de esa dinámica de innovación, de asunción de riesgo, y los mercados financieros. A pesar del crecimiento registrado a finales de los noventa, en los intensamente bancarizados países del área euro, la importancia relativa de esas modalidades de financiación más próximas a la génesis de nuevos proyectos en tecnologías digitales y biotecnología, es todavía muy inferior a la que tienen en Estados Unidos. En 1999, la inversión de los fondos de capital riesgo representó el 0,4% del PIB en el conjunto de la Unión Europea, frente al 0,7% en Estados Unidos. Al mismo tiempo, la inversión en las fases iniciales de las nuevas empresas representaba en Norteamérica un 22% de la inversión de los fondos de capital riesgo, mientras que en la Unión Europea alcanzaba el 12% [20]. La composición de la inversión, la cuantía de la asignación efectiva sobre los fondos captados, la participación en distintas fases del desarrollo de los proyectos empresariales y la disponibilidad de apoyos complementarios son factores que muestran la ventaja del correspondiente sector en Estados Unidos, consecuente desde luego con la mayor tradición [21]. Datos más recientes de PricewaterhouseCoopers [22] sitúan en 11.500 millones de euros la suma invertida en 2000 en empresas tecnológicas europeas que no cotizan en bolsa, un 68% más desde los 6.800 millones de euros de 1999. De esa cantidad, 9.200 millones de euros fueron invertidos por empresas de capital riesgo, que, comparados con los 64.000 millones invertidos por empresas del mismo sector en Estados Unidos en el mismo periodo dan idea de la distancia existente. La parte más favorable de ese informe es que la contracción experimentada en 2001 por ese sector en Estados Unidos no será tan intensa en el área euro, con un liderazgo en tecnologías ópticas e inalámbricas.

En la Europa del siglo XXI, de la moneda única y de Internet, no existe un mercado único de capitales. A pesar de que los proyectos a este respecto se hunden en la prehistoria de la formación de la Comunidad Europea, habrá de ser la propia dinámica de los mercados financieros, en mayor medida que la iniciativa de las autoridades, la que acabará propiciando, de hecho ya lo está haciendo, la configuración de un verdadero mercado paneuropeo. Las distintas regulaciones nacionales, el mantenimiento de estándares diferenciados, las resistencias de las burocracias nacionales, cuando no las propias empresas financieras temerosas de una mayor competencia, deberían dejar de ser obstáculos a la concreción de las aspiraciones a un mercado único. La propia evolución demográfica (en los próximos treinta años, los ciudadanos europeos con edades iguales o superiores a sesenta y cinco años representarán una cuarta parte de la población total) y la asociada exigencia de fortalecimiento de los sistemas públicos de pensiones seguirá constituyendo uno de los elementos más directamente propiciadores de esa mayor profundidad, amplitud y grado de integración europea de los mercados de capitales. Desde luego, en los hoy más fragmentados mercados de acciones (en la Unión Europea, todavía al final de 2000 se invertía en activos nacionales el 75% de los activos de los fondos de pensiones), pero asimismo en la práctica unificación de los de bonos, especialmente en su más amplio segmento (aunque también el de menor crecimiento en los próximos años), el de emisiones de deuda pública.

En la anticipación del mayor crecimiento relativo de las tecnologías de la información en el área euro, y en particular las asociadas al comercio electrónico, se atribuye un papel destacado a la familiarización con la moneda única, tanto en su calidad de denominador transaccional, posibilitando una mayor transparencia, como por los efectos sobre la integración de los mercados de capitales y la consiguiente reestructuración del conjunto de la industria de servicios financieros. La inmediata unificación que tuvo lugar en los mercados monetarios y la avanzada en los de bonos no tardarán en tener continuidad en la más compleja de esa treintena larga de mercados de acciones todavía existentes en Europa.

Es difícil minimizar el papel de los gobiernos en cuanto a la emergencia de esas más propicias condiciones para la innovación. Contrariamente a lo que se presume como propio del sistema económico estadounidense, la contribución de su Administración ha sido esencial, no sólo en términos de definición de las condiciones del entorno, a través de políticas macroeconómicas adecuadas o de regulaciones propicias, sino de la intervención activa en los procesos de innovación. La actitud de los estados norteamericanos en las últimas décadas no ha sido precisamente la del distanciamiento, ni siquiera la de limitarse a la disposición del entorno regulador necesario para que las empresas, las instituciones y los mercados posibilitaran la emergencia de esa nueva economía. Las inversiones públicas en investigación básica y en educación han sido suficientemente importantes, en términos absolutos y en relación con otros países industrializados, como para contribuir de forma determinante a la configuración de un capital intelectual, humano y financiero estimulador de la utilización eficiente de esas tecnologías de la información. Junto a ello, la formulación de reglas adecuadas, la flexibilización de los mercados y un celo especial en la defensa de las condiciones competitivas ayudan a explicar ese liderazgo y su traducción en la fase expansiva más singular de la historia económica.

La denominación «nueva economía» es sinónimo de economía del conocimiento. Su arraigo depende en gran medida de la capacidad para generarlo, para transmitirlo y aplicarlo eficazmente. Un ámbito en el que ha sido evidente la complicidad de la Administración estadounidense para la realización de ese salto tecnológico es el de la inversión en investigación y desarrollo. Ese gasto constituye la pieza esencial de los procesos de innovación, de la explotación exitosa de nuevas ideas. Junto a ella, ha de existir la capacidad para trasladar los avances técnicos y las nuevas posibilidades empresariales que ofrecen en productos viables, rentables, que fortalezcan la posición competitiva de la empresa en su mercado. Ya existen pocas dudas acerca de la estrecha relación entre la capacidad de una empresa para innovar y su posición competitiva, como entre aquélla y su sistema educativo y de política científica.

Desde los primeros años noventa se acentúa la divergencia entre Estados Unidos y lo que hoy es la Unión Europea en los recursos destinados a I+D. Si en 1990 la Unión Europea asignaba el equivalente al 2% de su PIB y Estados Unidos el 2,7%, en 1999 esa proporción se mantenía en el caso de este último (a pesar del importante aumento en el valor de su producción de bienes y servicios) mientras que en la Unión Europea caía al 1,8% del PIB. El contraste se agudiza al conocer la distribución de ese gasto europeo por países, con distribuciones manifiestamente desiguales (Suecia, 3,77%; Finlandia, 2,89% y Alemania, 2,29%, frente a España, Grecia y Portugal, por debajo del 1%). Los resultados que derivan del contraste entre las contribuciones del sector privado de ambas economías a ese gasto en I+D son igualmente diferenciados. Mientras que en Estados Unidos el 77% de ese gasto lo realiza el sector privado, en la Unión Europea es el 64% [23].

Del total de ese gasto en I+D, el concretado en tecnologías de la información y de las telecomunicaciones es del 51,5% en Estados Unidos, frente al 12,9% en el área euro y el 17,9% en la UE. Cuando a esas inversiones en investigación y desarrollo se le añaden las materializadas en educación y el gasto en *software,* determinando lo que se califica como «inversión en conocimiento», se observa que la casi igualdad en la participación sobre el PIB de Estados Unidos y la Unión Europea en 1992 (8,5% y 8%, respectivamente) se traduce en los años siguientes en una ventaja norteamericana, siendo en 1999 esos porcentajes del 9% y 7,5% del PIB, respectivamente [24].

A la distancia en la cuantía de inversión que bajo los conceptos de ciencia y tecnología destina Europa respecto a Estados Unidos y Japón se añade su diferente eficiencia. Como ha recordado Joan Majó [25], esa inversión se encuentra más fragmentada nacionalmente, y en algunos países incluso regionalmente, lo que genera evidentes duplicidades, además de adolecer de una insuficiente orientación global, homogénea para el conjunto de la región. La necesidad de coordinación es igualmente obvia para la reducción de esa dispersión de esfuerzos en los programas educativos y de cualificación profesional.

El objetivo del 3% del PIB del conjunto de Europa en inversión en investigación científica y desarrollo tecnológico, no por ambicioso deja de ser menos necesario. El promedio del área es actualmente del 2,4%; sin embargo, hay que recordar que en algunos países, España sin ir más lejos, no se ha alcanzado el 1% en los últimos años. De la ampliación de los esfuerzos de inversión en este campo, primero, y luego de su estrecha coordinación dependerá en gran medida que esos enunciados tan solemnes y ambiciosos de la cumbre de Lisboa de marzo de 2000 no queden como una referencia más en los anales del euroescepticismo.

La inversión en capital humano reviste una importancia verdaderamente crucial, estratégica, y así parecen haberlo asimilado las empresas, el gobierno y, desde luego, las universidades en algunos países. El papel desempeñado por éstas en el desarrollo de la nueva economía en Estados Unidos fue destacable, no sólo en su papel de generadores de innovaciones tecnológicas y empresariales, sino igualmente en su contribución a la adecuación de los recursos humanos para afrontar las cambiantes exigencias de las nuevas formas de gestión empresarial. Junto a su participación en la transmisión de experiencias, de circulación de ideas entre el mundo académico y el empresarial, las universidades públicas y privadas, han sido activas en la propia creación de empresas, albergando «incubadoras», fomentando la creación de sociedades de capital-riesgo y, de forma genérica, desarrollando programas tendentes al conocimiento y a la especialización en ese nuevo entorno económico.

Los gobiernos son importantes en la nueva economía, pero lo son más las empresas. De la adaptación de éstas a las nuevas condiciones, de la emergencia de otras nuevas, dependerá en gran medida la reducción de esas distancias que separan Europa de Estados Unidos. Ese inventario de factores diferenciales entre ambas economías quedaría incompleto si no se destacara la capacidad de las empresas, en particular las ubicadas en la vieja economía, para adaptar sus estrategias a las transformaciones en curso. Desde hace años, los procesos de reestructuración en la dirección de una mayor flexibilidad organizativa y la intensificación de la inversión, especialmente en equipamiento específico para aprovechar las ganancias de eficiencia asociadas a la nueva economía de la red, han permitido aumentos significativos en la capacidad de oferta y, con ellos, la emergencia de olvidadas tasas de crecimiento de la productividad. En el mismo periodo, 1990-1999, en el que las empresas estadounidenses doblaban en términos reales el valor de sus inversiones, las del área euro lo hacían tan sólo en un 16%. La significación de estas diferencias es tanto mayor cuanto que una parte de ese impulso inversor de las empresas norteamericanas se concretó en tecnologías de la información sobre las que hoy descansan las nuevas formas de producción, distribución y comercialización.

De particular importancia, especialmente para las pequeñas y medianas empresas y las emergentes, es la adaptación del mercado de trabajo a ese nuevo entorno, la flexibilización de sus modalidades de contratación y negociación, aproximándolas a esa mayor capacidad de adaptación que el nuevo entorno competitivo exige a las empresas. Pasos adicionales en una dirección ya explícita durante los últimos años en la práctica totalidad de los países, incluso en aquellos con una mayor tradición sindical como Holanda o los países nórdicos, hoy a la cabeza de la inserción en la nueva economía en Europa, que ha permitido observar durante los años 1999 y 2000 el ritmo más rápido de creación de empleo de los últimos treinta años. La compatibilidad de esa tendencia con el crecimiento de la productividad derivado de la adopción creciente de esas tecnologías va a seguir exigiendo una adaptación reguladora del mercado de trabajo.

CAPITALISMOS CONVERGENTES

Prosperidad y crecimiento económico, por un lado, y distribución y estabilidad social, por otro, sintetizan las orientaciones que han dominado durante el último medio siglo en los sistemas económicos de Estados Unidos y Europa continental, respectivamente. Ambas son presentadas habitualmente como opciones irreconciliables, determinantes de las disyuntivas políticas a las que se han enfrentado los gobernantes a uno y otro lado del Atlántico. Aun cuando estuvieran tan netamente definidas, y respondieran efectivamente a las preferencias mayoritarias de los ciudadanos de ambos bloques económicos, lo cuestionable es, en primer lugar, la absoluta incompatibilidad con que habitualmente se presentan esas opciones.

Ninguno de los factores que hemos identificado como responsables de ese comportamiento superior de la economía estadounidense en la última década (de su mayor capacidad de creación de riqueza) pueden considerarse incompatibles con algunos de esos valores considerados específicos de lo que se asume como expresión mayoritaria de la tradición europea. La participación del gobierno en la economía ha sido suficientemente explícita en Estados Unidos, en la creación de condiciones propiciadoras de la emergencia de la nueva economía, no sólo a través de las políticas tendentes a garantizar la competencia que las nuevas formas de poder de mercado amenazaban, sino igualmente mediante la inversión pública en esas tecnologías transformadoras o en los programas de educación e investigación y desarrollo.

Más evidente es la aceleración de esa deriva gradual, pero ya observable, en patrones básicos de organización y, desde luego, en las orientaciones de política económica, del considerado modelo europeo, de capitalismo tutelar o sistema mixto, hacia el estadounidense. Un desplazamiento que no está siendo mayoritariamente conducido por partidos políticos de la derecha tradicional, sino por coaliciones de izquierda que parecen haber asumido los planteamientos de los «Nuevos Demócratas» estadounidenses: competencia, innovación y empresa. La explícita conexión de esos tres vectores con el mayor ritmo de crecimiento económico, con su sostenibilidad y con el aumento del empleo, son el fundamento de las propuestas reformistas orientadas a propiciar un mayor protagonismo de las iniciativas empresariales susceptibles de captar las oportunidades, la redefinición de ventajas comparativas, que puede traer consigo la nueva economía. Reformas tendentes a favorecer la capacidad emprendedora, la eliminación de obstáculos todavía importantes sobre la creación de empresas (costes y periodos de tramitación muy superiores a los existentes en Estados Unidos) y la adecuación legal e institucional (incluido el sistema educativo) que favorezca el desarrollo de las empresas recién nacidas.

El significativo aumento en los últimos años, coincidentes prácticamente con los primeros años de vida de la moneda única, de los flujos de inversión directa y en acciones desde el área euro hacia Estados Unidos, puede explicarse como esa pretensión de empresas europeas, con la dimensión y los recursos suficientes, para adquirir las ventajas de que han hecho gala las estadounidenses. La posición favorable en algunos de los sectores más próximos a la economía digital, por parte de las empresas en las que se han materializado las inversiones, y la mayor confianza en las posibilidades de crecimiento a medio plazo de la economía norteamericana han sido razones complementarias que explican la intensidad de los flujos transfronterizos de capital, al tiempo que la continua depreciación del tipo de cambio del euro frente al dólar [26].

Europa no sólo está a tiempo de asimilar esas prometedoras transformaciones, sino que existen suficientes evidencias como para anticipar la posibilidad de su arraigo definitivo y la generación de ventajas equivalentes a las observadas en la economía estadounidense. Los efectos que cabe esperar de la intensificación de la inversión en tecnologías de la información y de la consiguiente reestructuración organizativa en las empresas europeas pueden ser superiores a los observados en Estados Unidos, como consecuencia de las implicaciones desreguladoras de la *e-economía* sobre sectores todavía protegidos. La extensión de esas tecnologías hará más explícitos los costes derivados de la ausencia de una política europea común en áreas como los mercados financieros, la fiscalidad, los mercados de trabajo, la propiedad industrial, etc., propiciando la aceleración de las correspondientes reformas estructurales [27]. Efectivamente, el potencial transformador de las tecnologías de la información puede contribuir a la más rápida erosión de las todavía importantes rigidices estructurales en la Unión Europea y a aquellos otros impedimentos a la completa configuración del mercado único.

Por eso, serán en primer lugar los efectos espaciales, geográficos, los que aceleren la consecución del mercado interior, poniendo al descubierto las limitaciones de las inconsistencias y asimetrías reguladoras. El aumento de la transparencia, derivado de una mayor competencia entre oferentes en los distintos mercados nacionales o regionales europeos, se traducirá en la disposición de mayores posibilidades de elección para los consumidores. En segundo lugar, como consecuencia de la cada día más difusa diferenciación entre los mercados de productos y de servicios, además de la dimensión espacial de los mercados, los cambios también afectarán a las distintas formas en que aquellos mercados son atendidos, mezclándose bienes y servicios en función de las necesidades de esa creciente adaptación a las exigencias de los clientes.

Su definitiva cristalización dependerá de la disposición de los gobiernos nacionales a asumir el espacio comunitario como el relevante para la propagación de esas transformaciones económicas.

Si los enunciados de la cumbre de Lisboa, su mera convocatoria y el reconocimiento de algunas de las limitaciones estructurales que subyacen en sus sistemas económicos permitieron albergar la esperanza de adopción de una estrategia común orientada a la reducción de esas diferencias, las reacciones de algunos gobiernos a movimientos empresariales de concentración en sectores próximos a las tecnologías de la información siguen siendo expresivas de excesivas cautelas nacionalistas. Cautelas, además, propiciatorias de vías adicionales de fragmentación del mercado a las que impone la diversidad de culturas y lenguas, del alejamiento de la necesaria unicidad de su mercado para constituir una verdadera economía paneuropea en la red.

Si las tecnologías de la información y de las telecomunicaciones constituyen la soldadura del proceso de globalización, el mercado único europeo debería constituirse en el microclima más propicio para albergar aquellas estrategias empresariales tendentes a reforzar esa dimensión paneuropea de la nueva economía. Ambos procesos, la consolidación del proyecto de unificación económica y financiera en Europa y la definitiva asimilación de la revolución digital, son absolutamente complementarios. De la sincronía con que ambos se conduzcan va a depender en gran medida la satisfacción de ese objetivo de pleno empleo en el 2010 enunciado en Lisboa.

EPÍLOGO: ¿UNA TRANSICIÓN GOBERNABLE?

De la ubicuidad de la red, de la extensión de sus aplicaciones a diversos ámbitos de la actividad económica y social y de su creciente permeabilidad geográfica, se derivan implicaciones cuyo alcance apenas se ha anticipado. Ha sido el sociólogo español Manuel Castells (1996) uno de los que ha adoptado una interpretación más maximalista de la extensión de estas transformaciones en ciernes, anticipando no sólo una nueva economía, (una e-economía), sino también una nueva cultura, consecuencia del desarrollo de ese «modo informacional» que está desarrollándose, transformador de la producción, de la experiencia y del poder, que da lugar a una sociedad basada fundamentalmente en redes de intercambio de información.

Como ocurriera con otras discontinuidades tecnológicas, la transición a la sociedad del conocimiento está siendo más rápida que la disposición de respuestas a los nuevos retos y problemas que plantea. Una asimetría que se manifiesta en la capacidad de adaptación de los agentes privados y el aprendizaje de los gobiernos; entre la extensión global de riesgos nuevos, específicos de esa rápida migración a la red, y el carácter todavía mayoritariamente nacional de los mecanismos de cobertura.

La fiscalidad de las transacciones que se efectúan en la red, la defensa de los derechos de propiedad, la privacidad de quienes acceden a la misma, las más genéricas y cada día más evidentes amenazas a la seguridad de esas plataformas, su vulnerabilidad a infecciones fáciles de concebir y de propagar, o las nuevas situaciones de poder de mercado que pueden surgir en torno a esas tecnologías de la información y de las telecomunicaciones, son algunas de las implicaciones de esa creciente migración de la actividad económica y del comportamiento individual hacia la red. El ritmo de ese desplazamiento, conviene subrayarlo, no es equivalente al de la capacidad de adaptación de las instituciones públicas y de sus cursos de acción. Las respuestas son, en muchos casos, difíciles de articular, a tenor de la todavía insuficiente manifestación de esas transformaciones, de su extensión trasnacional en la mayoría de ellos y, en todo caso, de la ausencia de experiencias relevantes.

La vulnerabilidad que transmiten esas asimetrías, lejos de justificar las pretensiones por frenar ese proceso de transición, de metamorfosis del capitalismo, deberían traducirse en la aceleración de respuestas igual de globales tendentes a fortalecer la cooperación supranacional en ese ámbito, asumiendo que, aun cuando ni los principios ni las leyes económicas hayan cambiado, el objeto sobre el que actúan es, en efecto, una nueva economía, más global e interdependiente.

La más inmediata de las perturbaciones imprevisibles en esa transición es la que se cierne sobre el propio crecimiento económico y la necesaria estabilidad financiera. Las más optimistas presunciones que nos situaban en una suave pero vertiginosa transición a esa tierra prometida en el «ciberespacio» durante el próximo cuarto de siglo ya han encontrado suficientes factores de corrección en la intensa desaceleración del ritmo de expansión en la economía que las albergó. A la sobredosis de inversión en las tecnologías de la información, y a los desequilibrios financieros que la euforia en torno a las mismas desencadenó, se atribuye la intensa y brusca desaceleración que se inicia en Estados Unidos al final de 2000, con consecuencias importantes sobre los mercados de acciones que ampararon una de las escaladas en las cotizaciones más pronunciadas de las últimas décadas.

Tampoco hace falta en este punto remontarse a las experiencias de asimilación de dinámicas tan intensas de innovación tecnológica de otras épocas (a la discontinuidad generada por la elevación de la mortalidad empresarial, ya sea por procesos de concentración o por la quiebra directa, consecuente con la sobrepoblación de oferentes) para alertar sobre la posibilidad de ajustes bruscos en ese proceso, capaces de recordarnos la inevitabilidad de los ciclos de los negocios que los más ardientes defensores de la nueva economía han llegado a cuestionar. Las evidencias son ya suficientes a este respecto, y tan erróneo como deducir de ellas el agotamiento del potencial transformador de las tecnologías de la información, sería considerarlas un mero accidente en ese inevitable camino al asentamiento de una nueva edad de oro en la economía mundial.

Al igual que ocurrió con las pretensiones empresariales por aprovechar aquellas innovaciones de siglos anteriores, no serán sino algunas empresas las que sobrevivirán a esta suerte de revolución tecnológica propiciatoria de la más elevada natalidad empresarial de las últimas décadas. También, como en la mayoría de sus precedentes, Internet infló una burbuja especulativa en unos mercados de acciones que, a diferencia de los existentes hace apenas una década, juegan un papel central en el comportamiento económico de las familias. La diferenciación que podría hacerse con otras fases de intensificación de la innovación, de destrucción creativa, tiene en esa mayor concurrencia y diversidad de los titulares de las fuentes de financiación, y en la consecuente sensibilidad de sus posiciones de riqueza, uno de sus rasgos más característicos y, dicho sea de paso, más potencialmente adversos.

NUEVAS FORMAS DE PODER DE MERCADO Y FISCALIDAD

El mercado libre es una completa ficción. La dinámica del sistema económico basado en el mercado no garantiza por sí sola que éste acabe gobernando libremente las decisiones de asignación y, desde luego, que lo haga de forma perfecta. La tendencia de las empresas a conseguir posiciones de poder para, en última instancia, disponer de la mayor discrecionalidad posible en la fijación de sus precios, forma parte de la naturaleza del sistema. Evitar que eso ocurra corresponde a las autoridades: a la regulación de las condiciones de entrada en un mercado y a la supervisión de su funcionamiento. Los países más celosos con la defensa del capitalismo son también los más conscientes de la inconveniencia de seguir a pie juntillas las prescripciones del *laissez faire,* de dejar al mercado seguir su curso; son esos países los que suelen disponer de mecanismos más eficaces y con mayor tradición en la defensa de sus reglas de juego. La cuestión relevante hoy no es si se debe interferir en el mercado, sino qué tipo de interferencia se debería llevar a cabo, por quién y en qué extensión.

La difusión de las tecnologías en las que se basa la nueva economía, la creación de redes hacia las que se prevé vaya desplazándose una parte creciente de la actividad comercial, genera situaciones nuevas en el funcionamiento de los mercados. Esas plataformas de contratación, como vimos en el capítulo 2, definen rasgos que los aproximan conceptualmente al ideal de libre mercado. La aparente eliminación de barreras a la entrada de intermediarios, la disminución de algunas de las fricciones propias de los mercados convencionales, la transparencia y la ampliación de la capacidad de elección de los compradores ha hecho de Internet un nuevo paradigma del mercado perfecto. La realidad, sin embargo, no se muestra tan propicia a esa supuesta amistad entre la red y el mercado, y se empiezan a poner de manifiesto nuevas formas de imperfección que en sí mismas constituyen un reto para la política de defensa de la competencia.

Las industrias de la información tienen una lógica tendencia al monopolio debido a los «efectos red» que remuneran los grandes tamaños de empresas. Los costes relativamente elevados de desarrollo que han de afrontar las compañías encuentran la más atractiva promesa de compensación en la captación de un número suficiente de clientes, a partir del cual los correspondientes incrementos, sin apenas coste marginal, se traduzcan en beneficios. El aumento de la escala, la extensión de la red, al tiempo que aumenta el valor de la misma, actúa como un poderoso factor disuasorio de la emergencia de competidores. El dominio del mercado puede llegar a ser manifiestamente expresivo de la ausencia de competencia, aunque ese poder no se manifieste de forma inmediata en elevaciones de precios.

Junto a esas situaciones de poder de mercado generadas por la dinámica propia de las economías de red en un determinado sector, emergen otras derivadas de las alianzas entre empresas del mismo o de otro sector cuyas implicaciones sobre el funcionamiento de la competencia tampoco es fácil anticipar. Las políticas supervisoras de los movimientos de concentración encuentran en la era de Internet algo más que nuevos retos y de más complicada satisfacción. Dilemas entre el estímulo a la innovación, tolerando la apropiación inicial de ventajas, la necesaria acumulación de quien asumió los riesgos correspondientes, y la defensa en última instancia de la libertad de elección de los consumidores, son propios de esta fase de emergencia de nuevas empresas en torno a sectores nuevos, en los que la experiencia aporta una limitada utilidad.

Los avatares del caso Microsoft son suficientemente representativos al respecto. La desautorización, en junio de 2001, del juez T. P. Jackson, que proponía la división de esa empresa, un año antes, no ha impedido —como han hecho junto a los jueces de la corte de apelación distintos analistas, Paul Krugman (2001) entre ellos— reconocer la importancia que tienen las externalidades de red (los incentivos para utilizar el mismo sistema que utiliza todo el mundo) en la adopción de un verdadero poder de monopolio por esa compañía en el mercado de los sistemas operativos. Es decir, una "red de dependencias" entre sus propios productos, en palabras de Bradford DeLong (2000d), de forma que cada uno de ellos queda reforzado por el resto, al tiempo que reduce el potencial de los competidores. El desenlace con que a finales de junio de 2001 se presentaba ese caso no devolvía precisamente a Microsoft su libertad original, sino que la convertía en una empresa cuyas decisiones más relevantes quedaban sometidas a la aprobación de las autoridades judiciales: pasaba a ser un monopolio bajo supervisión.

Pero no son menos representativos de las nuevas situaciones de posible poder de mercado las distintas posibilidades de formación de alianzas entre empresas hasta hace poco de difícil complementariedad, como las estrictamente ubicadas en el sector de las tecnologías de la información y las especializadas en la generación de contenidos de todo tipo; o entre aquellas y las empresas financieras. Criaturas empresariales, las resultantes, cuya tipificación sectorial se hace tan difícil como la identificación de posibles amenazas a la competencia con los códigos hasta ahora disponibles.

La fiscalidad de las operaciones comerciales en la red es otro ámbito en el que los gobiernos habrán de adoptar decisiones, en modo alguno fáciles. Los argumentos favorables a la exención, o cuando menos a una amplia moratoria de la tributación de estas operaciones descansa, como puede comprenderse, en la necesidad de generar estímulos adicionales al arraigo de esos nuevos métodos de comercialización. En realidad, en el crecimiento del *e-commerce* durante los últimos años ha podido influir de forma significativa ese favor fiscal, en tanto que, como se ha observado en el caso de Estados Unidos, las ventas a través de la red han crecido más rápidamente en los estados y localidades que tienen impuestos sobre las ventas al por menor más elevados. Por el contrario, no pocos economistas, con bastante independencia de sus extracciones ideológicas, defienden la fiscalidad sobre el "cibercomercio" y están en contra de la moratoria sobre la base de que el crecimiento del comercio en la red debería estar determinado por la exhibición de su conveniencia y ventaja competitiva, en lugar de por subsidios especiales. Quienes piensan así defienden que los correspondientes impuestos sean recaudados donde están domiciliados los consumidores, en lugar de en la localización de los productores de los bienes y servicios objeto de transacción.

Otro tipo de opositores a la imposición sobre el comercio por Internet lo hacen simplemente por su disposición genérica a reducir el tamaño del gasto público, como es el caso del premio Nobel de Economía Gary S. Becker (2000), que reclama una "perspectiva más amplia", que supere a la de la eficiencia económica. Becker sugiere un análisis que tenga en cuenta los cambios dinámicos que esos impuestos pueden tener en el comportamiento de los individuos, empresas y políticos a nivel estatal y local. En lugar de reclamar revisiones al alza, homologación con las ventas convencionales, deberían reclamar lo contrario. Todo ello, con el fin de que los políticos no caigan en la tentación de gastarse el superávit público previsto para la próxima década en Estados Unidos.

Lo cierto es que la discusión sobre la jurisdicción y fuente de imposición, el alcance de la misma, está contribuyendo a poner en cuestión el conjunto de los sistemas tributarios, especialmente en Estados Unidos, abriendo la puerta a una amplia reforma que contemple esas nuevas situaciones y las derivadas de una dinámica que no cabe esperar reduzca su intensidad en el futuro. Una nueva manifestación de esa amplia asimetría entre sistemas de gobierno del siglo XIX y los de comercio vigentes en el XXI, cuya solución deberá pasar igualmente (dado el crecimiento de las transacciones transfronterizas en la red) por la correspondiente armonización internacional, y ésta por la no menos reclamada simplificación. En el seno de la OCDE, donde se tratan los aspectos específicamente vinculados a la fiscalidad internacional, se ha planteado igualmente esa cuestión de la localización a efectos fiscales, considerando alternativamente el país donde está radicada la sede social de la compañía de Internet o aquellos donde están localizados sus servidores.

DERECHOS DE PROPIEDAD Y SEGURIDAD

¿De quién es la información? ¿Es Internet un amigo del capitalismo? La retórica de preguntas tales ha dejado de sorprender para reflejar alguna de las inquietudes derivadas de la puesta en cuestión de los sacrosantos derechos de propiedad sobre los que se asienta el sistema. El paradigma del libre mercado, la tecnología con mayor capacidad de erosión de las barreras tradicionales al comercio y a la libre competencia, puede llegar a alcanzar sus límites más libertarios y socavar el pilar más importante del sistema económico. La propiedad, la definición de los derechos sobre la misma y su defensa, encuentra en la red un ámbito menos propicio que el que durante siglos ha amparado la economía tradicional. ¿Debe protegerse la propiedad privada en el "ciberespacio" de igual forma que se hace en el espacio real?

Aunque amparada en motivaciones económicas distintas, la defensa de los derechos de propiedad intelectual, sobre la base de la generación de incentivos suficientes que permitan la creación y generación de ideas, ha de compensarse con la conveniencia de su difusión. Un equilibrio, como se destacaba en *The Economist* (2001b), ciertamente difícil y, en todo caso, de complicada generalización a todos los activos de esa naturaleza. La justificación económica de la protección de una determinada patente en cuyo desarrollo se ha realizado una considerable inversión cuya recuperación es preciso garantizar, no es necesariamente la misma que la posibilidad de difusión de música o películas, de más rápido retorno.

Los casos de Napster o Scour.com son algunos de los que servirían para ilustrar la difícil conciliación entre la extensión de la red de sus propiedades democratizadoras sobre el acceso a la información, y a cualquier contenido susceptible de ser digitalizado, y el cumplimiento del ordenamiento jurídico al uso. Algunas de las respuestas técnicas arbitradas para la protección de esos derechos, al margen del tradicional recurso a los tribunales de justicia, también nos ilustran de la necesidad de adecuación de los ordenamientos legales y reguladores a las nuevas realidades generadas por la red.

Algo más que debates y batallas legales es lo que plantean los distintos episodios hasta ahora calificados como atentados a los derechos de propiedad. El desarrollo de la red está obligando a un equilibrio tan difícil como necesario entre la libre puesta en común de contenidos de todo tipo en la red, y la compensación por los mismos en un horizonte que garantice la suficiente población de consumidores en la misma. En no pocas ocasiones, la diferenciación entre esta posibilidad de compartir y la piratería no es un ejercicio jurídica y económicamente sencillo. Como tampoco lo es la distinción entre la asunción de ese espíritu libertario que exhiben algunas empresas tecnológicas y la singularidad de sus estrategias comerciales en la era de la información.

No es el caso de los "desarrolladores" independientes de *software* compatibles con otros de grandes compañías tecnológicas contra los que, paradójicamente, la propia compañía Napster ha tratado de batallar, impidiendo no tanto jurídicamente como mediante desarrollos técnicos que otros programas trabajen con los suyos; bloqueando, en definitiva, las posibilidades de extender esa posibilidad original de compartir información y contenidos que el presidente de esa empresa, Hank Barry, defendía tan ardorosamente en su testimonio ante el Senado estadounidense en julio de 2000. También recurrió al derecho tradicional cuando un grupo de *punk-rock* empezó a comercializar camisetas con el logotipo de Napster, aunque, en este caso, la reacción de muchos internautas denunciando esa repentina afición judicial de Barry acabó obligándole a retirar rápidamente la denuncia.

Siendo cierto que la nueva economía ha determinado cambios importantes en la percepción y en la valoración de los riesgos, no lo es menos que también su desarrollo ha dado lugar a nuevas fuentes de incertidumbre. En particular Internet. Además de las distintas formas de piratería o violaciones de los derechos de propiedad esos *e-risks* se manifiestan bajo distintas formas, desde la transmisión de virus susceptibles de colapsar redes enteras hasta el robo de información o las menos novedosas, pero ahora técnicamente más factibles, modalidades de delitos financieros, incluidos los "ciberatracos"; junto a ello, fuentes no menos importantes de riesgo específico son las derivadas de las perturbaciones no delictivas en los sistemas de información, desde su colapso hasta las más o menos circunstanciales interrupciones en su normal funcionamiento, a la sazón los de más frecuente cobertura por las compañías de seguros.

Gobernación global

Los avances tecnológicos siempre han ido muy por delante de la ley. La capacidad de reacción de ésta es mucho más lenta que la de la asimilación por los agentes económicos de los procesos de innovación. Su adaptación a la sociedad del conocimiento ya no puede hacerse por gobiernos aislados. La capacidad de la red para sortear restricciones convencionales, como las propias fronteras nacionales, obliga a plantear aspectos básicos como el de la jurisdicción, no sólo por razón de las ya comentadas implicaciones fiscales que conllevan la creciente migración de transacciones comerciales a la red, sino por las más amplias que rodean a la legalidad de lo que ocurre alrededor de la red de redes.

En torno a la Convención de La Haya sobre Jurisdicción (un tratado, suscrito por medio centenar de países, que trata de armonizar la legislación comercial en los litigios transfronterizos) se iniciaba en junio de 2001 el análisis de las posibilidades de adaptación del mismo a las nuevas realidades que incorporaba la red: a los litigios entre agentes privados sobre asuntos tales como patentes, propiedad intelectual, injurias y difamación. Se tratarían de resolver los problemas derivados del diferente tratamiento legal entre países de un determinado delito, comprometiéndose los países signatarios a celebrar los juicios que se emprendan contra acciones penalizadas en otro país, aun cuando no lo sean en su ordenamiento legal. Como se destaca en *The Economist* (2001d) la posibilidad de extensión de un acuerdo tal a todos los contenidos y transacciones de comercio electrónico ha generado una razonable inquietud en las compañías que, deseando extender el comercio en la red, no están tan dispuestas a enfrentarse a una pluralidad de normativas y legislaciones. De ahí la proliferación de las especificaciones en las distintas plataformas comerciales en la red que obligan a los consumidores a la aceptación explícita de las normas vigentes en el país de origen de la empresa en caso de conflicto. Una elección menos adversa para el desarrollo del comercio electrónico que la derivada de bloquear el acceso a determinadas plataformas de contratación o de intercambio de contenidos en función del país de origen de quien acceda.

Desenlaces, en todo caso, tributarios del pasado (las negociaciones de esa convención se iniciaron en 1992), que ilustran esa asimetría entre el carácter global y homogéneo de las posibilidades asociadas a la red y normas todavía con rasgos propios de las demarcaciones nacionales, cuya coexistencia con el avanzado proceso de globalización se hacía difícil, pero que ahora es de más complicada conciliación con esa migración creciente de transacciones de todo tipo al ciberespacio.

Esas diferencias jurisdiccionales no son sino algunas de las ilustraciones de la necesidad de avanzar hacia la convergencia reguladora y a la disposición de instituciones consecuentes con la creciente convergencia tecnológica de extensión verdaderamente global, cada día más próximas a la configuración de un gran mercado único. Impedir o restringir la extensión de esa dinámica integradora no es precisamente la solución: es más fácil que tales acciones deriven en el aumento de la división digital, sin llegar a garantizar la ausencia de conflictos entre países. Lo razonable es aprovechar este nuevo ámbito de obligada convergencia, ese «espacio perfecto de regulación», como lo ha caracterizado Lawrence Lessig (2001) en que puede convertirse la red, gracias fundamentalmente al desarrollo del comercio a través de la misma.

Pero la desregulación del ciberespacio tampoco es solución. Asimilar la extensión de la nueva economía con el dominio salvaje del mercado supone desconocer no sólo los fundamentos de las transformaciones en curso, sino pasar por alto algunas de sus implicaciones específicas. Los gobiernos siguen siendo necesarios, pero han de estar abiertos a un proceso de coordinación y cooperación global acorde con la dirección de las transformaciones en curso. La globalización también ha de ser política, ha de extenderse a la gobernación de una dinámica que, ya antes de que se manifestara el potencial de transformación de las tecnologías de la información, reclamaba el fortalecimiento de instancias globales que hicieran frente a los nuevos riesgos presentes en el entorno económico y financiero internacional. Ahora, esa dinámica de integración e interdependencia amplía su alcance, perfecciona su dimensión reticular mediante la disposición de tecnologías de fácil difusión que, además de posibilitar la generación de ganancias de eficiencia y de bienestar, alteran de forma significativa los equilibrios hasta hoy vigentes entre los distintos agentes económicos y los gobiernos, al tiempo que dan lugar a nuevos tipos de conflictos. De la capacidad para articular respuestas que, siendo necesariamente nuevas, se asienten sobre la ausencia de hegemonías nacionales, dependerá que la discontinuidad tecnológica (y su rápida asimilación económica) que ahora estamos viviendo se traduzca efectivamente en mejoras de las condiciones de vida de un número creciente de ciudadanos. La metamorfosis del capitalismo no es necesariamente más adversa que su estabilidad.

NOTAS

INTRODUCCIÓN

[1] Howard y Louis, 1998.
[2] Ontiveros, 2000.

CAPÍTULO 1
LA PRODUCTIVIDAD NORTEAMERICANA

[1] Las otras dos grandes fases expansivas en la historia reciente de Estados Unidos fueron las de 1961-1969 y 1982-1990. El anterior récord de longevidad fue establecido por la de los sesenta, de 106 meses. La duración media de un ciclo económico antes de la pasada década era de cincuenta meses aproximadamente.

[2] Desde que lo desarrollara Arthur Okun, uno de los asesores económicos de la Administración Johnson, el «índice de miseria» (la suma del valor de la tasa de inflación y desempleo) ha sido utilizado para medir el comportamiento macroeconómico de los distintos periodos presidenciales. Fue Robert Barro (1996) el que, tras algunos ajustes en su cálculo, lo aplicó desde la presidencia de Truman (1949-1952) hasta los dos primeros años de la de Clinton, incorporando la variación del PIB y la de los tipos de interés a largo plazo, resultando una clasificación en la que a la cabeza se situaban los dos periodos de Reagan. Desconozco si el ahora profesor de la Universidad de Columbia ha llegado a actualizar aquel *ranking*, en-

tonces tan divulgado, para situar en el primer lugar este último periodo de la Administración Clinton.

[3] Frente a la reducción de la deuda pública y el fortalecimiento del sistema de Seguridad Social defendido por Al Gore, el finalmente elegido presidente George W. Bush fue partidario de devolver el superávit a los contribuyentes mediante la reducción de impuestos a lo largo de diez años por un total de 1,3 billones de dólares.

[4] Milton Friedman acuñó en 1968 la denominación «tasa natural» al combatir la disyuntiva entre paro e inflación implícita en la curva de Phillips (formulada en 1959 por el profesor de la London School of Economics A.W. Phillips, que observó una relación entre la tasa de paro y la de variación de los salarios), aunque conceptualmente fue anticipada años antes por Edmund S. Phelps. Fue, según Paul Krugman (1994), la reacción «de otros economistas a quienes les desagradaba la satisfacción que implica» ese concepto de «tasa natural» la que propició esa otra denominación de NAIRU, descrita por James Tobin en 1980. El relativamente amplio grado de aceptación del concepto como referencia o *benchmark* no se corresponde con la controversia que suscita su medición. Se encuentra una síntesis de esos problemas en el capítulo V de OCDE, 2000b.

[5] Las empresas que cotizan en los mercados de acciones estadounidenses generaron en 1999 un beneficio del 27% sobre el capital invertido, frente al 14% de las listadas en el área euro.

[6] Shiller, 2000.

[7] El crecimiento de la productividad multifactorial se refiere a incrementos en la capacidad productiva de la economía que no son atribuibles a incrementos en las contribuciones directas de los factores capital y trabajo, sino que pueden reflejar cualquier otro desarrollo en la actividad de las empresas (desde luego los tecnológicos, pero también reorganizaciones de tareas, mejora de la organización, de los canales de distribución, etc.) que se traducen en una mayor eficiencia. Una aceleración de la productividad multifactorial permite, en definitiva, que el trabajo sea más productivo aun cuando el ratio capital-trabajo se mantenga fijo. Sobre los problemas de estimación puede verse el trabajo de Gust y Márquez, 2000.

[8] FMI, 2000a.

[9] Ese ajuste del índice de precios de esos bienes por variaciones en la calidad sólo se realiza en los sistemas estadísticos de algunos países —Estados Unidos, Canadá y Japón, entre ellos—, con lo que las comparacio-

nes internacionales de la producción real del sector de tecnologías de la información adolece de la suficiente homogeneidad en su medición. Otros problemas en la estimación de la contribución exacta de ese sector al crecimiento de la productividad y los asociados a su comparación internacional se destacan en FMI, 2000b, y en Gust y Márquez, 2000.

[10] Departamento de Comercio de Estados Unidos, 1999b.

[11] Puede verse a este respecto el informe sobre Estados Unidos de la OCDE, 2000a, y el del Departamento de Comercio, 2000, cap. VII.

[12] Oliner y Sichel, 2000.

[13] En el trabajo de Oliner y Sichel se contrastan los resultados de sus estimaciones con las de otros trabajos con similares propósitos, como los de Whelan, 2000, Jorgenson-Stiron, 2000, y Kiley, 1999.

[14] Nordhaus, 2000 a,b,c.

[15] Kevin J. Stiroh (2001) realiza una excelente síntesis de esas explicaciones alternativas del crecimiento de la productividad en Estados Unidos.

[16] Stiroh, *ibid.*

[17] En la ponencia del presidente de la Reserva Federal, Alan Greenspan en la Conferencia Anual del Banco de la Reserva Federal de Kansas City, 2000, se reconoce expresamente la naturaleza estructural de esas transformaciones. Su texto se encuentra en www.federalreserve.gov

[18] FMI, 2000b.

[19] Gordon, 2000.

[20] Es el caso de las contribuciones a la publicación de la OCDE, 1999, o de Schwartz, Leyden y Hyatt, 1999.

[21] Summers, 2000.

[22] DeLong, 2000c.

[23] Alan Greenspan, sucesor de Paul Volcker en 1987, a sus setenta y tres años renovó su cargo en febrero de 2000 por otros cuatro años, un mandato que le convertirá en el segundo presidente con más años en el cargo (detrás de William McChesney Martin, que estuvo desde 1951 hasta 1970). Hasta hoy, se le considera el más exitoso de la historia de esa institución, hasta el punto de granjearse calificativos como el de «apóstol de la nueva economía».

[24] Popper, Wagner y Larson, 1998.

[25] Greenspan, 2000.

CAPÍTULO 2
LA ECONOMÍA EN LA RED

[1] Véase a este respecto el informe del Departamento de Comercio de Estados Unidos (2000).

[2] OCDE, 2000.

[3] En la introducción al trabajo de Popper, Wagner y Larson (1998) se discute la evolución del concepto «tecnologías críticas» y se ensaya una definición con pretensiones de validez en la actualidad.

[4] Schumpeter, 1942.

[5] El artículo de Nakamura (2000) es una de las más recientes y completas discusiones de las aportaciones de Schumpeter a la moderna teoría del crecimiento.

[6] Profesor del MIT (Massachusetts Institute of Technology), laureado por sus aportaciones a la teoría del crecimiento.

[7] Hutcheson, G. Dan y Hutcheson, Jerry, 1996.

[8] DeLong, 2000b.

[9] Una evolución continúa la experimentada por esa capacidad de computación desde que en 1959 se presentara el circuito integrado, patentado por Robert Noyce, el otro fundador de Intel. Moore fue inicialmente más optimista, cifrando en doce meses esa duplicación de la capacidad de procesamiento. Puede consultarse el texto «What is Moore's Law» en la página del museo de Intel http://intel.com/intel/museum/25anniv/hof/moore.htm

[10] Véase a este respecto Cohen, DeLong y Zysman, 2000.

[11] En *Ciberp@ís* de 30 de noviembre de 2000, pueden verse detalles adicionales a este respecto.

[12] La computación molecular y la cuántica son las tecnologías con más probabilidades de superar esas restricciones impuestas por el silicio. En los reportajes de Mónica Salomone (2000) y Sebastián Serrano (2000) se describen los aspectos fundamentales que condicionan la fabricación de los *chips* y los intentos actuales por superar las restricciones del silicio.

[13] Esos elementos que dieron verdadera dimensión universal a Internet son: un sistema para dar formato a los textos (Hypertext Markup Language, HTML), un estándar de comunicación (Hypertext Transfer Protocol, HTTP) y otro para localizar direcciones en la web (Uniform Resource Locators, URLs).

[14] Pueden encontrase descripciones completas y accesibles al lector no especializado sobre la naturaleza de Internet en Berners-Lee (2000), Gralla (1996), Cebrián (1999), Kelly (1999) o Mediametrix (1999). En el libro de Reid (1997) hay una de las más asequibles introducciones a la historia de Internet. El libro de Shapiro y Varian (1999) proporciona una visión más amplia de todas las tecnologías de la información y sus diversas implicaciones.

[15] Cusumano y Yoffie, 2000.

[16] Evans y Wurster, 1997.

[17] El concepto de externalidad, que tampoco es nuevo, se refiere a aquella situación en la que las actuaciones del participante en un mercado afectan a los otros sin que medie una compensación. La contaminación es el ejemplo más citado de externalidad negativa. En Shapiro y Varian (1999) se aborda con suficiente grado de particularización en Internet el análisis de las externalidades de red.

[18] La formulación concreta de la Ley de Metcalfe establece el valor de una red para un usuario como una proporción de {n (n-1) = n2 - n}, donde n es el número de usuarios de la red.

[19] Pisani, 2000a.

[20] Webber, 2000.

[21] Para una definición de «economía de Internet» y de los criterios para la definición de su tamaño puede verse CREC (2001), especialmente el anexo A.

[22] Evans y Wurster, 1999.

[23] El informe del Departamento de Comercio de Estados Unidos (1999b) incorpora una completa compilación de las posibilidades de *e-commerce*, al tiempo que da cuenta de las dificultades para una estricta definición estadística de comercio por Internet.

[24] Simon, 1972.

[25] Shapiro y Varian, 1999.

[26] Tapscott, Ticoll y Lowy, 2000.

[27] En septiembre de 2000 Amazon.com llevó a cabo un test con películas DVD variando sus precios con el fin de observar reacciones de los consumidores. El resultado fue una protesta de los que compraron a precios superiores que, tras su amplificación en diversos foros en la red, obligó a la empresa a devolver la diferencia sobre el menor precio a los que pagaron de más.

[28] Kahle, creador de Alexa, uno de los primeros motores rastreadores de la red.

[29] Clemons y Row (2000) describen esos nuevos factores que han de gobernar la estrategia de comercio en la red.

[30] Son ya varios los «sites» que permiten poner en común las reclamaciones de grupos de consumidores, lo que, con independencia de la utilidad que aporte para otros propósitos, les convierte en útiles mecanismos de conocimiento para las empresas de las preferencias de los consumidores. Exponentes representativos al respecto son eComplaints.com y PlanetFeedback.com, de gran utilización en Estados Unidos.

[31] Puede verse a este respecto el comentario de Gene Koretz (2001).

[32] Cohen, 2000.

[33] Hof, 2000.

[34] Hay una reciente y completa descripción del impacto de Internet en la industria del automóvil en Hall, 2000.

[35] El conglomerado Nestlé, fundado en 1867 por Henri Nestlé, facturó 46.600 millones de dólares en 1999 y emplea a 230.000 personas. Mantiene 509 factorías en 83 países y, lo que es más relevante a los efectos de la transformación en curso, manufactura más de 8.000 productos distintos, con empleo de múltiples materias primas y bienes intermedios. No es de extrañar, por tanto, que «el experimento Nestlé», como se ha tipificado entre los especialistas, sea contemplado como uno de los principales a los que se somete el *e-commerce* y, en general, el *e-business*. Son más de 3.000 millones de dólares anuales los que absorbe la logística y los costes de administración de esta empresa en todo el mundo. En Echikson (2000) se describe con gran detalle la transición de esta empresa a la red.

[36] Brandenburger y Nalebuff, 1996.

[37] Goldman Sachs, 2000.

[38] Puede verse a este respecto Wise y Morrison, 2000.

[39] En Kenny y Marshall (2000) se analizan las posibilidades y retos asociados al marketing contextual.

[40] La empresa de investigación de mercados «International Data Corporation» estimaba en 809.000 el número de suscriptores de *m-commerce* en Europa al final de 2000, (desde 44.000 un año antes) para alcanzar los 47,1 millones al final de 2004; 41.600 millones de euros sería el valor de las transacciones de *m-commerce* en ese año, frente a los apenas 111 millones de euros contabilizados a mediados de 2000.

[41] NTT DoCoMo se ha convertido en el principal operador de móviles del mundo. Mantiene una política de expansión exterior reforzada mediante adquisiciones de participaciones en empresas de móviles en Asia y Europa, y más recientemente en Estados Unidos. Es el caso de la adquisición, al final de 2000, del 16% de AT&T Wireless.

[42] Un informe de la Universidad de Berkeley indicaba que frente a los 130 sitios en la web en 1993, en junio de 2000 existían 17.119.262. Según el recuento que hace Google, el número de páginas en la red se situaba en 1.300 millones a principio de diciembre de 2000, al tiempo que se amplían esas previsiones que sitúan en 4 millones de nuevas páginas las que aparecen diariamente en la web. Más de 100 millones de enlaces *(links)*. Nunca había existido tanta información tan fácilmente disponible a tanta gente. Pero nunca como hasta ahora se había puesto de manifiesto la necesidad de introducir cierta organización en ese océano de información. Demasiada información, a todas luces. Demasiado difícil la cada día más necesaria diferenciación en función de la calidad. La gran ventaja ahora no es conectarse, sino hacerlo eficientemente.

[43] Serrano, 2000.

[44] *Ibid.*

[45] Véase el monográfico de *The Economist*, 2001a.

[46] En Echikson y Reinhardt (2000) se encuentra un mayor detalle en la evolución del parque de ordenadores personales en ambas áreas.

[47] *The Economist*, 2001b.

CAPÍTULO 3
UNA NUEVA ECOLOGÍA EMPRESARIAL

[1] El concepto de «cadena de valor» fue acuñado por el profesor de la Harvard Business School, Michael Porter (1985). Comprende todas las actividades básicas de una empresa, desde el diseño de los productos a su distribución física, control y apoyo posterior. Las diferencias en las cadenas de valor, es decir en cómo los competidores llevan a cabo actividades estratégicas, son la base de la ventaja competitiva.

[2] Evans y Wurster, 1999.

[3] Magretta, 1999.

[4] Desde sus máximos al principio del siglo XX, en torno al 25-35%, la proporción de fuerza de trabajo en el sector industrial no ha dejado de descender en la mayoría de los países industrializados. Esa cada día más explícita «terciarización» del empleo de las economías no ha impedido que la productividad en la agricultura y en la industria haya determinado un continuo crecimiento del valor de la producción en ambos sectores.

[5] Gates, 1999.

[6] Porter, 2001.

[7] Krugman, 2000d.

[8] Cuando el Departamento de Comercio de Estados Unidos dio a conocer su primera estimación del crecimiento del PIB en el primer trimestre de 2001, los inventarios mostraban un significativo descenso, el primero en casi diez años.

[9] Porter, 2001.

[10] La eficacia operacional supone, según Porter, hacer mejor las mismas cosas que el competidor, mediante tecnologías más evolucionadas, *inputs* superiores, capital humano mejor formado o una mejor estructura de gestión.

[11] Shapiro y Varian, 1999.

[12] Ansoff, 1965.

[13] Christensen, 2000.

[14] La valoración de las 450 adquisiciones de empresas vinculadas a Internet realizadas en 1999 alcanzó 47.000 millones de dólares, frente a los 6.000 millones de las 140 adquisiciones en 1998, según la consultora estadounidense New Media Resources. Yahoo! fue el principal adquirente en 1999, con compras por 10.500 millones de dólares, aun cuando America Online llevó a cabo un mayor número de adquisiciones.

[15] Porter, 2001.

[16] Galbraith, 1974.

[17] Puede encontrase información adicional sobre proyectos concretos de incubadoras en las siguientes direcciones: Antfactory, Bain&Co, Brainspark, Esouk, Jellyworks, KPE, NewMedia SPARK o Protégé.

[18] Drucker, 2000.

[19] *Ibid.*

[20] Evans y Wurster, 1999.

[21] En Evans y Wurster (1999), Malone y Laubacher (1998) y Drucker (1998) hay un análisis de las implicaciones de esas alteraciones en los ca-

nales por los que discurre el intercambio de información entre los agentes de las empresas y su impacto en las estructuras de organización.

[22] Castells, 2000.

[23] Malone y Laubacher, 1998.

[24] Lipsey, 1999.

[25] Joel Kotkin (2000) analiza, con especial referencia a Estados Unidos, las relaciones entre el aumento de la conectividad que proporcionan las tecnologías de la información y las decisiones de localización urbana, en particular las preferencias de los propios profesionales de la nueva economía.

[26] Las primeras plataformas de *e-cruiting* estadounidenses, Monster.com y HotJobs.com, afirmaban a mediados de 2000 disponer de más de 3,9 millones de historiales y haber contribuido a 400.000 colocaciones cada uno. Al final de ese año había más de 30.000 en todo el mundo, con distinto grado de especialización funcional y geográfica.

[27] Puede encontrarse una descripción de las opciones financieras en Berges y Ontiveros (1984), en Valero (1988) y en Analistas Financieros Internacionales (2000a); Boer (2000) ha realizado un análisis del tratamiento fiscal de las *stock options* en diversos países.

[28] En el artículo de Skapinker (2000) y en la columna de Francis Pisani (2000 b) se da cuenta de la creación de este sindicato y de algunos de los nuevos problemas con que se enfrentan los trabajadores de la nueva economía.

[29] Skapinker, 2000.

Capítulo 4
Nuevas finanzas: complicidad y excesos

[1] Manzano y Ruiz, 2000.

[2] Soriano, 2000.

[3] Evans y Wurster, 1999.

[4] En España, por ejemplo, los bancos mantenían al final de 2000 casi 17.000 oficinas (un 30% más que en 1980) y 126.000 empleados (un 30% menos que en 1980) y las cajas de ahorros 18.355 oficinas y 98.000 empleados, en ambos casos el doble que en 1980.

[5] Evans y Wurster, 1999.

[6] Soriano, 2000.

[7] Nasdaq es una organización con regulación propia, cuya continua y actualizada información se canaliza a través de un sistema de computación centralizado.

[8] Desde su aparición el 3 de julio de 1884, el DJIA se viene considerando el índice más representativo del mercado de acciones; fue creado por la compañía Dow Jones & Co., fundada en 1882 por Charles Dow , el primer editor del periódico *The Wall Street Journal*, lanzado en 1889.

[9] Sobre la operativa comparada de esos mercados puede consultarse Friedferting y West (1998)

[10] Puede verse a este respecto Benoit, 2001.

[11] En dicha orden se amplía la excepción de obtención de beneficios en los tres últimos ejercicios, permitiendo el acceso al mercado de acciones de empresas de nueva o reciente creación con la mera presentación de la previsión de beneficios en ejercicios futuros.

[12] Se describen las características de ambos mercados en Soler, 1999.

[13] Berle y Means, 1932.

[14] Friedman, 1999.

[15] En Choi, Laibson y Metrick (2000) se analiza el impacto de la web sobre la actividad de los mercados de acciones, así como los perfiles y patrones de comportamiento de los inversores.

[16] Banco Central Europeo (BCE), 2001.

[17] Desde la privatización, en noviembre de 1996, de Deutsche Telekom (considerado el episodio inicial de esa nueva época en la asignación del ahorro de los alemanes) hasta el final de 2000 hubo más ofertas públicas de acciones que en el conjunto de los cincuenta años anteriores . Véase *The Economist* (2001c).

[18] Una revisión de esas estimaciones y la propia del autor se encuentra en Poterba, 2000.

[19] FMI, 2001.

[20] Knight, 1921.

[21] Bernstein, 1996.

[22] Una amplia descripción de estas modalidades de financiación en España y en la Unión Europea se encuentra en la *Guía del Sistema Financiero Español* de Analistas Financieros Internacionales, (2000a), y en Antón, (1998).

[23] Los costes de agencia surgen como consecuencia del conflicto de intereses entre los distintos grupos de agentes en la empresa (gestores,

accionistas, prestamistas), pudiendo afectar a la estructura financiera de la misma. Existe información asimétrica cuando las partes intervinientes en una decisión de financiación (prestamistas y prestatarios) no disponen de igual ventaja en el acceso o disposición inicial de información relevante para esa decisión.

[24] Puede verse a este respecto Mandel, 2000.

[25] Silverman, 2000.

[26] En Tomkins, 2000, hay un balance de esas instituciones, antes y después de la corrección bursátil de la segunda mitad del año 2000 y del destino de sus recursos.

[27] El informe trimestral de la OCDE «Financial Market Trends» incorpora una sección específica en la que se analiza la evolución de los recursos captados y las inversiones de las sociedades de capital riesgo, con especial atención a Estados Unidos y a Europa.

[28] Una discusión interesante de la validez de la hipótesis de eficiencia de los mercados de acciones, en el contexto de las intensas correcciones que tuvieron lugar al final del año 2000 fue la protagonizada por Shleifer, (2000) y Malkiel, (2000).

[29] Kinetz, 2001.

[30] Transcrita en la edición de abril de 1908 de *The Ticker*, revista norteamericana dedicada a finanzas personales.

[31] Una opción real es similar a una opción financiera: constituye el derecho, pero no la obligación, de llevar a cabo una inversión potencialmente creadora de valor. Una descripción práctica de este enfoque de valoración se encuentra en Copeland y Antikarov, (2001).

[32] Propuesto por el profesor de la Universidad de Yale y premio Nobel de Economía, James Tobin, en su forma mas simple trata de medir el grado de apreciación de una empresa, referenciando su valor de mercado al coste de reposición de sus activos, sin tomar en consideración los intangibles.

[33] Esa sentencia de «exuberancia irracional» fue tres años más tarde legítimamente utilizada por Shiller (2000) para titular su último libro, una de las más completas y oportunas revisiones de la evolución del mercado de acciones estadounidense, amparada en una amplia y rigurosa trayectoria investigadora, en la que se advierte de la envergadura que estaba adoptando la burbuja especulativa en Estados Unidos.

[34] Ese indicador expresivo de lo que se está dispuesto a pagar por cada dólar de beneficio generado por una acción, el PER, alcanzó en el mo-

mento más álgido del mercado, en marzo de 2000, un valor de 115 para el promedio de los valores tecnológicos en Estados Unidos, frente al promedio desde 1962 de 38 veces los beneficios, según los cálculos de la empresa Leuhold/Weeden Research de Mineápolis.

[35] Martin, 2001.

[36] A finales del año 2000 esa relación entre el endeudamiento y los recursos propios de las empresas en Estados Unidos se situaba en el 57%, el máximo nivel desde el final de la II Guerra Mundial.

[37] La Financial Services Authority (FSA), el regulador de los mercados financieros británicos, era el primero en avisar de esos factores de riesgo. Tras llevar a cabo una revisión en treinta y cuatro bancos comerciales y de inversión, a finales de 2000 solicitaba de los bancos un estrecho seguimiento de sus riesgos en empresas de telecomunicaciones.

[38] Una situación que amparaba la propagación entre las empresas de las que salieron muchos profesionales en busca de mejores horizontes en la red, bancos y compañías consultoras fundamentalmente. Vuelve a ser válido el chiste «B2B and B2C: back to banking and back to consulting».

[39] La otra gran caída del Nasdaq fue en 1973-1974, del 59,9%. En el periodo 1929-1932, el DJIA cayó un 89,2% y el S&P500 un 86,2%.

[40] De los ocho *bear markets* anteriores que satisfacen esa condición, cinco de ellos alcanzaron el 20% de caída desde su máximo tras las correspondientes recesiones, mientras que los otros tres (en 1962, 1966 y 1987) no estuvieron conectados a recesión alguna. En estos tres casos, la recuperación en las cotizaciones se inició en las siete semanas siguientes al descenso en torno al umbral del 20%.

[41] Fue tal la demanda generada por los bulbos de tulipán, introducidos en Holanda a finales del siglo XVI provenientes de Turquía, que la multiplicación de sus precios y la presunción de continuidad estimuló, además del endeudamiento, la venta de otros activos, incluidos los inmobiliarios, para acumular esos bulbos.

Capítulo 5
Permeabilidad geofráfica

[1] Jim Barksdale (2001) nos recuerda el contraste con otros avances. Pasaron varios siglos desde que se inventó la imprenta antes de que el libro llega-

ra a amplias capas de la población. La electricidad para uso doméstico data de 1873, pero pasó casi medio siglo antes de que el 25% de los hogares norteamericanos pudieran conectarse a la red eléctrica. El teléfono tardó 35 años en llegar al mismo número de hogares en Estados Unidos. La radio tardó 38 años en llegar a los 50 millones de usuarios en Norteamérica; la televisión, 13 años, y el cable 10. Internet lo ha conseguido en apenas cinco años.

[2] Sachs, 2000.

[3] En Wilson III (2001) puede encontrarse un análisis de esos componentes de acceso a las tecnologías de la información y las comunicaciones.

[4] En OCDE (2001a) se abordan los factores de esa división a ambos niveles, mediante el contraste con los indicadores más relevantes.

[5] Wilson III, 2001.

[6] Gardner, 2000.

[7] Más información sobre esos institutos tecnológicos, en particular de los de Delhi y Bangalore, se encuentra respectivamente en www.iitd.ac.in y en www.iitb.ac.in

[8] Más información sobre el desarrollo en India de las tecnologías de la información se encuentra en Javier Martín y Antonio Espejo, 2000.

[9] *The Economist*, 2000b.

[10] Destaca el BIS, 2000, que del conjunto de países de la OCDE, únicamente Australia registró incrementos en la productividad del trabajo superiores a Estados Unidos durante la segunda mitad de los noventa. También es el único país, además de Estados Unidos, en el que ese indicador aceleró significativamente su crecimiento en relación a la década de los ochenta y la primera mitad de los noventa.

[11] OCDE, 2001b.

[12] Summers fue secretario del Tesoro estadounidense durante los últimos años de la presidencia de Clinton.

[13] OCDE, 2000.

[14] En OCDE (2000b), Eurostat (2000) y Morgan Stanley (2001), se recogen los indicadores más importantes de ambos bloques económicos y su distribución por países para varios años.

[15] Morgan Stanley, 2001.

[16] En OCDE (2001b) se encuentran indicadores de coste de acceso y algunos otros más concretamente expresivos del desarrollo de Internet, relativos a los países del área euro y a Estados Unidos.

[17] Mayer, 2000.

[18] Algunas de las ideas y comentarios en este epígrafe fueron abordadas en Ontiveros (2000b).

[19] Summers, 2000.

[20] Sobre la importancia relativa de la inversión en capital riesgo puede verse Baygan y Freudenberg, 2000. En BCE (2001) se recogen datos para la zona euro.

[21] Véase a este respecto el capítulo II de OCDE (2000b) y BCE, (2001).

[22] Recogidos en el informe «Money for Growth 2000», anticipados por *The Wall Street Journal*, 26 de junio de 2001.

[23] Más detalles sobre el esfuerzo en I+D, así como una desagregación por países se encuentra en Eurostat, 2000.

[24] Eurostat, 2000.

[25] Majó, 2000. Presidente del grupo de expertos al que la Comisión Europea encomendó la valoración de la política científica y tecnológica.

[26] En OCDE (2001b) y BIS (2001) se aborda la relación entre ambas categorías de flujos de capital y el tipo de cambio del euro.

[27] Tales son las conclusiones de una conferencia celebrada por la Comisión Europea. Véase Comisión Europea, 2001.

Bibliografía

Analistas Financieros Internacionales, *Guía del Sistema Financiero Español en el nuevo contexto europeo,* 3.ª ed., Escuela de Finanzas Aplicadas, Madrid, 2000a.

—, *El impacto de la Banca On–Line,* Análisis Bancario, nota técnica n.º 8, 27 de julio de 2000b.

Ansoff, H. Igor, *Corporate Strategy,* McGraw Hill, Nueva York, 1965.

Antón, Yolanda, "El capital-riesgo como alternativa financiera", *Actualidad Financiera,* agosto de 1998.

Banco Central Europeo, *Informe Anual 2000,* Francfort, mayo de 2001.

Barksdale, Jim, Introducción al *Informe al Presidente de los EE UU sobre Internet,* ed. española de Fundación Retevisión, Madrid, 2001.

Barro, Robert, *Getting It Right. Markets and Choices in a Free Society,* The MIT Press, Cambridge, Massachusetts, 1996.

Baygan, G., y Freudenberg, M., "The Internationalisation of Venture Capital Activity in OECD Countries: Implications for Measurement and Policy", *OECD STI Working Paper,* n.º 2000/7, 2000.

BCE, "Characteristics of corporate finance in the euro area", *Boletín Mensual,* febrero de 2001.

Becker, Gary S., "The Hidden Impact of Not Taxing e-Commerce", *Business Week,* 28 de febrero de 2000.

Benoit, Bertrand, "Ownership culture is acquisition barrier", *The Financial Times,* 14 de mayo de 2001.

Berges, Ángel, y Ontiveros, Emilio, *Mercados de futuros financieros,* Pirámide, Madrid, 1984.

Berle, A., y Gardener, C. Means, *The Modern Corporation and Private Property,* Harcourt Brace, Nueva York, 1932.

Berners-Lee, Tim, *Tejiendo la red,* Siglo XXI, Madrid, 2000.

Bernstein, Peter L., *Against the Gods: The Remarkable Story of Risk,* John Wiley & Sons, Nueva York, 1996.

BIS, *71st Annual Report,* Basilea, junio de 2001.

Boer, Martin, "What Incentive? High European Taxes Undermine Stock Options", *The Wall Street Journal,* 13 de noviembre de 2000.

Brandenburger, Adam M., y Nalebuff, Barry J., *Co-opetition,* Doubleday, Nueva York, 1996.

Castells, Manuel, *The Rise of the Network Society,* Blackwell, Londres, 1996.

—, *La era de la información. La sociedad red,* Alianza, Madrid, 2000.

Cebrián, Juan Luis, *La red,* Taurus, Madrid, 1998.

Choi, James J.; Laibson, David, y Metrick, Andrew, "Does the Internet Increase Trading? Evidence from Investor Behavior in 401 (k) Plans"; "The Rodney L. White Center for Financial Resarch", Wharton School, Universidad de Pensilvania, 2000.

Christensen, Clayton, *The Innovator's Dilemma,* Harper Business, Nueva York, 2000.

Clemons, Eric, y Row, Michael, "Behaviour is key to web strategy", Mastering Management, parte 7.ª, *The Financial Times,* 13 de noviembre de 2000.

Cohen, Norma, "Do not discount web shopping", *The Financial Times,* 1 diciembre de 2000.

Cohen, Stephen S.; Bradford DeLong, J., y Zysman, John, "Tools for Thought: What Is New and Important About the e-Economy", *BRIE Working Paper,* n.º 138, 2000.

Comisión Europea, "The e-Economy in Europe: Its potential impact on EU enterprises and policies", Bruselas, 1 y 2 de marzo de 2001. Todos los informes presentados en esa conferencia se encuentran en: http://europa.eu.int/comn/enterprise/events/e-economy/index.htm

Copeland, Thomas, y Antikarov, Vladimir, *Real Options,* Texere, Nueva York, 2001.

CREC, *Measuring the Internet Economy,* Universidad de Texas, Austin, enero de 2001.

Crédit Suisse First Boston, "Innovation and Markets", *Equity Research,* 12 de diciembre de 2000.

Cusumano, M. A., y Yoffie, David B., *Competing on Internet time,* Touchstone, Nueva York, 2000.

DeLong, J. Bradford, *Macroeconomic Implications of the "New Economy"*, www.j-bradford-delong.net/, mayo de 2000a.

—, *Opening remarks at a Washington D.C. conference*, www.j-bradford-delong.net/, (29 septiembre de 2000b).

—, *What is Truly "New", about our "New Economy"*, en la sección *Thoughts of the Week,* de su página web www.j-bradford-delong.net/, 2000c.

Departamento de Comercio de EE UU, *The Emerging Digital Economy,* Washington, abril de 1999a.

—, *The Emerging Digital Economy II,* Washington, http://www.ecommerce.gov, junio de 1999b.

—, *Digital Economy 2000,* http://www.ecommerce.gov, Washington, junio de 2000.

Drucker, Peter F., *The Next Information Revolution,* Forbes ASAP, 24 de agosto de 1998.

—, *Management Challenges for the 21st Century,* Butterworth Heinemann, Oxford, 2000.

Echikson, William, "Nestlé: An Elephant Dances", *Business Week,* e-biz, 11 de diciembre de 2000.

—, y Reinhardt, Andy, "Who Needs PCs?", *Business Week,* 11 de diciembre de 2000.

Eurostat, *Towards a European Research Area. Science, Technology and Innovation,* Comisión Europea, Bruselas, 2000.

Evans, Philip, y Wurster, Thomas S., "Strategy and the New Economics of Information", *Harvard Business Review,* septiembre-octubre de 1997.

—, *Blown to Bits,* Harvard Business School Press, Boston, 1999.

Fondo Monetario Internacional, *World Economic Outlook,* Washington, D.C., septiembre de 2000a.

—, *USA: Selected Aspects,* Washington, D.C., octubre de 2000b.

—, *World Economic Outlook,* Washington, D.C., mayo de 2001.

Friedferting, Marc, y West, George, *The Electronic Day Trader,* McGraw Hill, Nueva York, 1998.

Friedman, Thomas, "Flying Elephants", *The New York Times,* 14 de marzo de 1999.

FT Dynamo, *The Real Value of Information,* www.ftdynamo.com, 13 de noviembre de 2000.

Galbraith, John Kenneth, *El nuevo Estado Industrial,* 6.ª ed., Ariel, Barcelona, 1974.

GARDNER, DAVID, "India's plans to plug the brain drain", *The Financial Times,* 22 de abril de 2000.

GATES, BILL, *Los negocios en la era digital,* Plaza y Janés, Barcelona, 1999.

GOLDMAN SACHS, *The New Economy and the Shock of the Internet,* http://www.gs.com, CEO, Special Issue, Londres, marzo de 2000.

GORDON, ROBERT J., "Does the 'New Economy' Measure Up to the Great Inventions of the Past?", *Journal of Economic Perspectives,* vol. 14, n.º 4, otoño de 2000.

GRALLA, PRESTON, *How the Internet Works,* Ziff-Davis Press, Emeryville, CA., 1996.

GREENSPAN, ALAN, "Structural change in the new economy", *BIS Review,* n.º 57, julio de 2000.

GUST, CHRISTOPHER, Y MÁRQUEZ, JAIME, "Productivity Developments Abroad", *Federal Reserve Bulletin,* octubre de 2000.

HALL, ALAN, "How The Web Is Retooling Detroit", *Business Week,* 27 de noviembre de 2000.

HOF, ROBERT D., "Will Auction Frenzy Cool?", *Business Week,* e-biz, 18 de septiembre de 2000.

HOWARD, MICHAEL, Y LOUIS, ROGER W. (eds.), *The Oxford History of the Twentieth Century,* Oxford University Press, Oxford, 1998. [Historia Oxford del siglo XX, trad. de Víctor Alba y Cristina Pagés, Planeta, Barcelona, 1999.]

HUTCHESON, G. DAN, Y HUTCHESON, JERRY, "Technology and Economics in the Semiconductor Industry", *Scientific American,* enero de 1996.

JORGENSON, DALE W., Y STIROH, KEVIN J., "US Economic Growth in the New Millennium", *Brookings Papers on Economic Activity,* 1, 2000, pp. 125-211.

KELLY, KEVIN, *New Rules for the New Economy,* Penguin Books, Londres, 1999.

KENNY, DAVID, Y MARSHALL, JOHN F., "Contextual Marketing. The Real Business of the Internet", *Harvard Business Review,* vol. 78, n.º 6, noviembre-diciembre de 2000.

KILEY, MICHAEL T., "Computers and Growth with Costs of Adjustment: Will the Future Look Like the Past?", Federal Reserve Board, *Finance and Economics Discussion Series Paper* 1999-36, http://www.federalreserve.gov/pubs/feds/1999/index.html, (julio de 1999).

KINETZ, ERIKA, "Europe Charges Into Equity Markets", *The International Herald Tribune,* 7-8 de abril de 2001.

Knight, F. H., *Risk, Uncertainty and Profit,* University of Chicago Press, Chicago, 1921.

Koretz, Gene, "E-Commerce: The Buyer Wins", *Business Week,* 8 de enero de 2001.

Kotkin, Joel, *The New Geography. How the Digital Revolution is Reshaping the American Landscape,* Random House, Nueva York, 2000.

Krugman, Paul, *Vendiendo prosperidad,* Ariel, Barcelona, 1994.

—, "Can America Stay on Top?", *Economic Perspectives,* vol. 14, n.º 1, invierno de 2000a.

—, "The Dishonest Truth", *The New York Times,* 23 de febrero de 2000b.

—, "Blessed Are the Weak", *The New York Times,* 3 de mayo de 2000c.

—, "Unsound Bytes?", *The New York Times,* 22 de octubre de 2000d.

—, "The Smell Test", *The New York Times,* 1 de julio de 2001.

Lessing, Lawrence, *El código y otras leyes del ciberespacio,* Taurus, Madrid, 2001.

Lipsey, Richard G., *Sources of Continued Long-run Economic Dynamism in the 21st Century,* en OCDE, 1999.

Magretta, Joan (ed.), "Managing in the New Economy", *Harvard Business Review Book,* Boston, 1999.

Majó, Joan, "¿Europa, líder mundial en tecnología?", *Ciberp@ís,* n.º 6, 2000.

Malkiel, Burton G., "Are Markets Efficient? Yes", *The Wall Street Journal,* 29-30 de diciembre de 2000.

Malone, Thomas W., y Laubacher, Robert J., "The Dawn of the E-Lance Economy", *Harvard Business Review,* septiembre-octubre de 1998.

Mandel, Michael J., *The Coming Internet Depresión,* Basic Books, Londres, 2000.

Manzano, Daniel, y Ruiz, Alberto, "Desintermediación: IV Etapa", *El País,* "Negocios", 17 de septiembre de 2000.

Martín, Javier, y Espejo, Antonio, "India: viaje a la incubadora", *Ciberp@ís, Mensual,* n.º 2, julio de 2000.

Martin, Peter, "Finance is a siren song", *The Financial Times,* 13 de marzo de 2001.

Mayer, Thomas, "Euro-zone's New Economy can narrow gap with US", *The Financial Times,* 23 de marzo de 2000.

Media Metrix, "Media Metrix Chronicles the History of the Internet", http://www.mediametrix.com, nota de prensa (18 de marzo de 1999).

MORGAN STANLEY DEAN WITTER, "Internet and Technology", *Equity Research,* abril de 2001.

NAKAMURA, LEONARD I., "Economics and the New Economy: The Invisible Hand Meets Creative Destruction", *Business Review,* Federal Reserve Bank of Philadelphia, julio-agosto de 2000.

NORDHAUS, WILLIAM D., "Alternative Methods for Measuring Productivity Growth", *NBER, Working Paper,* n.º 8095, 2000a.

—, "New Data and Output Concepts for Understanding Productivity Trends", *NBER, Working Paper,* n.º 8096, 2000b.

—, "Productivity Growth and the New Economy", *NBER, Working Paper,* n.º 8097, 2000c.

OCDE, *The Future of the Global Economy: Towards a Long Boom?,* París, 1999.

—, *Economic Outlook,* n.º 68, París, 2000.

—, *Economic Surveys, United States, 1999-2000,* París, 2000a.

—, *A New Economy?: The changing role of innovation and information technology in growth,* París, junio de 2000b.

—, *Understanding the Digital Divide,* París, 2001a.

—, "Euro area", *Economic Survey,* abril de 2001b.

—, "Spain", *Economic Survey,* junio de 2001c.

OLINER, STEPHEN D., Y SICHEL, DANIEL E., "The Resurgence of Growth in the Late 1990s: Is Information Technology the Story?", *The Journal of Economic Perspectives,* vol. 14, n.º 4, otoño de 2000.

ONTIVEROS, EMILIO, "La nueva economía", *Claves de la Razón Práctica,* n.º 103, junio de 2000a.

—, "Bases para una nueva y única euroeconomía", *Nueva Revista de Política, Cultura y Arte,* n.º 70, julio-agosto de 2000b.

PISANI, FRANCIS, "Las seis redes y los tres retos", *Ciberp@ís,* 14 de septiembre de 2000a.

—, "Las 'puntocom' y los sindicatos", *Ciberp@ís,* 30 de noviembre de 2000b.

POPPER, STEVEN W.; WAGNER, CAROLINE S., Y LARSON, ERIC V., "New Forces at Work. Industries Views Critical Technologies", www.rand.org/centers/stpi, Rand, Washington, 1998.

PORTER, MICHAEL E., *Competitive Advantage,* The Free Press, Nueva York, 1985.

—, en MAGRETTA, J. (ed.), MBR Press, Boston, 1999.

—, "Strategy and the Internet", *Harvard Business Review,* marzo de 2001.

POTERBA, JAMES, "Stock Market Wealth and Consumption", *Journal of Economic Perspectives,* primavera de 2000.

REID, ROBERT H., *Architects of the Web: 1000 Days That Built the Future of Business,* Wiley, Nueva York, 1997.

RIDDERSTRALE, JONAS, Y NORDSTRÖM, KJELL, "Funky Business", *FINANCIAL TIMES,* ft.com., Londres, 2000.

SACHS, JEFFREY, "A new map of the world", *The Economist,* 24 junio de 2000.

SALOMONE, MÓNICA, "Viaje al nido del chip", *Ciberp@ís,* mensual, 4-5 noviembre de 2000.

SCHUMPETER, JOSEPH A., *Capitalism, Socialism, and Democracy,* Aguilar, Madrid, 1942.

SCHWARTZ, PETER; LEYDEN, PETER, Y HYATT, JOEL, *The Long Boom,* Orion Business Books, Londres, 1999.

SERRANO, SEBASTIÁN, "Y después del silicio ¿qué?", *Ciberp@ís,* mensual, 4-5 noviembre de 2000a.

—, "Oracle juega fuerte", *Ciberp@ís,* n.º 6, 2000b.

SHAPIRO, CARL, Y VARIAN, HAL R., *Information Rules. A Strategic Guide to the Network Economy,* Harvard Business School Press, Boston, 1999.

SHELEIFER, ANDREI, "Are Markets Efficient? No", *The Wall Street Journal,* 29-30 de diciembre de 2000.

SHILLER, ROBERT, *Irrational Exuberance,* Princeton University Press, 2000.

SILVERMAN, GARY, "Old industry hands track new ideas", *The Financial Times,* 13 de septiembre de 2000.

SIMON, HERBERT, "Theories of Bounded Rationality", en *Decision and Organization,* ed. por C. B. Radner y R. Radner, North Holland, Amsterdam, 1972.

SKAPINKER, MICHAEL, "Meet the new boss", *The Financial Times,* 30 de noviembre de 2000.

SOLER MOVILLA, ÁNGELES, "EASDAQ y EURO, NM: Mercados paneuropeos para PYMES", *Actualidad Financiera,* enero de 1999.

SORIANO, JUAN PABLO, "Los vientos del cambio 'on line': los bancos europeos entran en la era Internet", *Análisis Económico Internacional,* Escuela de Finanzas Aplicadas, n.º 99, abril-mayo de 2000.

STIROH, KEVIN J., "Is There a New Economy?", *Challenge,* julio-agosto de 1999.

—, "What Drives Productivity Growth?", *Economic Policy Review,* FRBNY, marzo de 2001.

Summers, Lawrence H., "The United States and Europe in a New Global Economy", *Trans Atlantic Business Dialogue,* Cincinnati, Ohio, 17 noviembre de 2000.

The Economist, "New economy, old problems", *European Business Survey,* 29 de abril de 2000a.

—, "A giant sucking sound", 2 de diciembre de 2000b.

—, "The age of the cloud. A survey of software", 14 de abril de 2001a.

—, "Market for ideas", 14 de abril de 2001b.

—, "A Survey of Global Equity Markets", 5 de mayo de 2001c.

—, "Tied up in Knots", 9 de junio de 2001d.

Tapscott, Don; Ticoll, David, y Lowy, Alex, *Digital Capital,* Nicholas Brealey Publishing, Londres, 2000.

Tomkins, Richard, "A virtual investment", *The Financial Times,* 5 de diciembre de 2000.

Valero, Franciso José, *Opciones financieras,* Ariel, Barcelona, 1988.

Webber, Thomas E., "Harnessing P2P Power", Networking, *The Wall Sreet Journal,* 13 de noviembre de 2000.

Whelan, Karl, "Computers, Obsolescence, and Productvity", *Federal Reserve Board, Finance and Economics Discussion Series Paper 2000-6.* http://www.federaleserve.gov/pubs/feds/2000/index.html (febrero de 2000).

Wilson III, Ernest J., "Evitar el riesgo de brecha digital", *Informe al Presidente de los EE UU sobre Internet,* ed. española de Fundación Retevisión, Madrid, 2001.

Wise, Richard, y Morrison, David, "Beyond the Exchange. The Future of B2B", *Harvard Business Review,* vol. 78, n.º 6, noviembre-diciembre de 2000.

ÍNDICE ANALÍTICO

Este libro
se terminó de imprimir
en los Talleres Gráficos de Anzos, S. L.,
Fuenlabrada, Madrid, España,
en el mes de agosto de 2001